JN045705

デジタル ヒストリーを 実践する

Doing Digital History : A Beginner's Guide to Working With Text As Data

データとしてのテキストを扱うためのビギナーズガイド

ジョナサン・ブレイニー Jonathan Blaney
ジェーン・ウィンターズ Jane Winters
サラ・ミリガン Sarah Milligan
マーティ・スティア Marty Steer

［訳］
大沼 太兵衛 Tahee Onuma
菊池 信彦 Nobuhiko Kikuchi

文学通信

凡例

・〔　〕は訳注を意味する。ただし、訳注が長くなる場合は適宜脚注（ⅰ、ⅱ、ⅲ …）に移した。

・…を中略の意味で用いている。

Doing digital history: A beginner's guide to working with text as data

By Jonathan Blaney, Jane Winters, Sarah Milligan and Marty Steer

目次

謝辞

ロンドン大学歴史学研究所ウォール図書館の同僚であるメット・ルンド、セリ・トンプソン、マイケル・タウンゼント、ケイト・ウィルコックス、そしてセネット・ハウス図書館のクレア・ジョージとジョーダン・ランデスには、その専門知識と忍耐力に感謝します。ガブリエル・ボダード、フィリップ・カーター、クニカ・コウノ、ニッキー・オールドは、執筆の各段階で援助とアドバイスをくれました。

アダム・チャップマン、ジェシカ・デイヴィス＝ポーター、ハンナ・エリアス、ダニー・ミラム、オルウェン・マイヒル、ジュリー・スプラゴンは、草稿を読んでコメントし、誤りを訂正し、矛盾点を指摘し、分かりにくいジョークをカットしてくれました。もちろん、残った部分はすべて私たちの責任です。

原稿を読んでくださった匿名の読者に感謝したいと思います。深く、考え抜かれたコメントは、ほとんど全体にわたって考えなおすきっかけとなりました。

マンチェスター大学出版局の編集者エマ・ブレナンは、本書の執筆中に励ましてくださり、忍耐強く待ってくださいました。困難な局面では、彼女の編集スキルと洞察力のおかげで、最初に書き始めたときの構成を組み替えることができ、それは実際に奏功しました。ジョー・ヘイニングは、共感と厳しさを持って原稿を整理し、本書をより一貫性があって読みやすいものにし、複雑な箇所を分かりやすくしてくれました。

Beaufort Streetの可視化のベースとなったデジタルマップを、ご自身のコレクションから快く提供してくださったアンドリュー・フロウに特別な感謝を捧げます。そして誰よりも、『イギリス・アイルランド史文献目録』担当の同僚であるサイモン・ベイカーに感謝しています。彼は長期間にわたって、私たちが把握していた以上の出版されたばかりのデジタルヒストリーに関する文献を提供し続けてくれました。

introduction

はじめに

目的

本書は、歴史研究におけるデジタルツールおよびその技術を利用するための実践的な入門書です。ただし、大規模なテキストデータコレクションを扱うことに関心がある人文学研究者であれば誰にとっても有用な内容となっています。取り上げる事例は歴史学に関わるものですが、テキストを中心に論じますので、たとえば文学研究にも有効です。

本書はノンプログラマーを対象にしているため、プログラミング言語の使用方法を教えたり、また、その利用を求めたりもしません。本書が扱う実践例から、プログラミングをしなくとも他人の成果を活用することで、非常に多くのことができるというわれわれの信念が明らかになるでしょう。プログラミング学習は興味深くまた便利ですが、デジタルヒストリーを行う上で必須ではありませんし、デジタルヒストリアンたちのなかにもプログラミングを学んでいない人は多くいます。コーディングしなければできないことも確かにありますが、私たちはそのようなものは意図的にすべて省いています。私たちが紹介するアプローチの強力さとその柔軟さに驚いていただければ幸いです。

私たちは、あえて、何十年も前から使われていて、これから先も使われていくであろうツールを中心に紹介しています。これらのツールは成熟しており、本書で紹介している内容を補うようなアドバイスはオンラインで豊富に提供されています。

強調したいのは、デジタルヒストリーの研究プロジェクトにおいては、プロジェクトの楽しいところのためのデータの準備こそが多くを占めているということです。すなわち、興味深い結果（それがアイデアであれ、グラフであれ、地図であれ、ウェブサイトであれ）を生み出すための部分です。これはよく「データクリーニング」として知られていますが、実はこの言葉は少し誤解を招く恐れがあります。それというのも、データに潜む問題がつねに何らかのエラーであることを意味してしまうためです。プロジェクトに必要なデータが、きれいに整備された状態で届いても新しい用途には不向きな形式であったり、そのために修正作業が必要になったりします。デジタルプロジェクトが議論になる際は、データ準備についてはあまり語られませんが、本書は実践的な入門書ですので、この点を重視しています。

構成

本書は、IHR〔ロンドン大学歴史学研究所〕リサーチガイドシリーズの他の巻の構成に倣っています。**第１章「デジタルヒストリーの文脈」**では、本書のテーマであるデジタルヒストリーの歴史と、その節目となるいくつかの出来事について述べています。デジタル史料（digital source）として何がどのように利用できるかは、デジタルヒストリーの歴史の産物であり、さらに重要なのは、系図史料の商品価値に気づき、最初にデジタル化を推進した立役者たちの成果です。この章を書くうえで、私たちはより広範な領域に広がっているデジタルヒューマニティーズからデジタルヒストリーだけを取り出すのが困難だと分かりました。明確に分けることは、かえって良くないのです。

第２章「研究課題を設定する」は、研究アイデアをデジタルヒストリーの文脈に位置づけて考えるのに役立ちます。どのような技術が必要なのか？　データやツールに関してはどのようなものが既に利用できるのか？　研究の早い段階で、批判的かつ賢明なアプローチ（つまり、追求する研究プロジェクトと採用するリソースの両方の観点から）を決定することで、貴重な時間と労力を節約することができます。そのため、その決定方法に関するアドバイスに多くのページを割いています。最後の節では、研究をどこでどのように発表するかについての考えを紹介しています。私たちは、このことについて最初から大まかなアイデアを持っておくのがベストだと考えており、また、出版だけを最終的なアウトプットとして捉えるべきではないとも提案しています。

第3章「デジタルプロジェクトの始め方」では、本棚に並んでいる本の状態からデジタルなアウトプットに至るまで、研究プロジェクトがどのような流れをたどっていくのかを詳しく解説しています。これまでの経験上、資料をデジタル化するプロセスを理解している人はあまり多くはいません。あまりそのようなことを経験することがないからです。この章では、そのプロセスについて解説しています。私たちは、本書『デジタルヒストリーを実践する』のために、特別にある資料の一部をデジタル化し、そのデータをオンラインで自由に利用できるようにしました（付録1を参照）。その資料とは、『1879年ロンドン郵便住所録』（*The Post Offce London Directory for 1879*）であり、本書の中では、できるだけこの本を利用して、歴史学上の問題と実践例に取り組んでいます。

第4章と**第5章**では、デジタルテキストを自動で大規模に扱う方法を詳しく説明しています。**コマンドライン**を使えば、他人が書いた何百もの小さなプログラムにアクセスすることができ、また、コードを一行も書かずに膨大な量の作業をこなすことができます。コマンドラインについて詳しく取り上げるのは当然のことです。なぜならコマンドラインは、ほとんどのプログラマーが愛用するコンピューター版のアーミーナイフのようなものだからです。コマンドラインの使い方をわずかでも覚えれば、作業の進め方が大きく変わります。第4章ではプレーンテキスト、第5章では構造化テキストについて取り上げます。プレーンテキストは手に入りやすいものの扱いが難しいものであること、構造化テキストは一見敷居が高いように見えても、利用できるならば利用した方が良いということを、ここでは紹介します。構造化テキストについては、XML（Extensible Markup Language）を中心に説明しますが、本書が取り上げる方法は他のフォーマットにも容易に転用できるものです。

第6章「デジタルヒストリーのプロジェクトを管理する」では、効果的なデータ管理と共有方法について実践的に解説しています。研究データ管理の節では、Gitツールを使ったデータ管理にかなりの時間を費やしていますが、これは最良の選択肢だと考えているからです。加えて、多くの再利用可能なデータがGitリポジトリで提供されているため、Gitの意味と仕組みに関する基本的な理解は不可欠になってきています。また、ドキュメンテーションやメタデータについても見ていきます。

第7章「データの可視化」では、歴史データの可視化の全体像について、色の使い方など実践的な観点をもとに、アドバイスをしています。ここでは、郵便局のデータを利用して、グラフや地図の形として可視化することで、データセットから可視化までをどのように行ったのか、なぜそのような選択をしたのかについて、詳しく見ていきます。

第8章「デジタルヒストリーのこれから」は、歴史研究者にとってどのような新技術が間近に迫っているのか、そしてそれがあなたの仕事にどのような影響を与えるのかについて、未来予測を試みています。この章は、『ミドルマーチ』に登場するジョージ・エリオットの「誤りにはいろいろな形があるが、将来を予言することほど無益なことはないだろう」〔訳は廣野由美子訳『ミドルマーチ1』光文社古典新訳文庫, 2019年, p.185に従った〕というアドバイスを無視したものです。私たちは、最終的にこの章で書いた内容が細部においてばかばかしいほどに誤っていることが判明したとしても、残りの大部分が何らかの形で歴史実践に影響を与えることを期待しています。この本を書き上げたのは、COVID-19のパンデミックで世界の大半がロックダウンされているときでした。たとえ「革命や破壊よりも、漸進的な進化とその定着」への期待がすでに過去のもののように思えても、私たちはその予測を取り下げたりはしませんでした。パンデミックが歴史実践に対してどのような長期的な変化をもたらすかを判断するのは、時期尚早だと考えています。

最後に3つの付録を用意しました。**付録1**では、本書のために作成したデータリポジトリについて説明しています。このリポジトリの中身やコピーの入手方法、そしてスキルを磨くためにどのように使用すれば良いかを解説しています。**付録2**では、コマンドラインツールの一覧とその使い方を説明しています。それぞれのコマンド機能の概要と、共通タスクにどのように使えば良いのかを事例をもとに紹介しています。日々のコマンド作業の参考にしていただければ幸いです。**付録 3** は、正規表現の構文をまとめています。正規表現に取り組むことは、デジタルでテキストを扱う上では不可欠だと考えています。第4章でも正規表現に触れていますが、付録3ではそれらをまとめて説明しています。正規表現の習得は簡単ではありませんが、必要に応じてこの付録を参照しながら練習を重ねることをお勧めします。

本書にはまだ紹介しきれていないことがたくさんあります。同様に、読者のみなさんも、本書で取り上げた内容をすべてマスターする必要はありません。デジタルヒストリーにはさまざまな面がありますが、中には特定の分野や特定の研究者に適したものもあります。この本を読んだ歴史研究者が、何か新しいことに挑戦したり、これまで以上にデジタルなアプローチを進めたりするきっかけとなるならば、私たちとしてはこれに勝る喜びはありません。

第1章

デジタルヒストリーの文脈

はじめに

私たちの研究分野で実際に何が変わったのか、そして特にその変化が、どのようにして、そして、なぜ起こったのかを簡潔に述べることはあまりに難しく、そして、そもそも困難であることが運命づけられているものである。[1)]

デジタルヒストリーの文脈とその発展を説明するには、いくつかの文脈を寄り合わせて織り交ぜる必要があります。まずはデジタルヒューマニティーズという広い文脈の中にデジタルヒストリーを位置づけることから始め、その後、第二次世界大戦後のテクノロジーの発展という文脈の中に、改めてデジタルヒストリーを位置づけて議論していきます。続いて、歴史研究者の仕事における3つの領域、すなわち発見、執筆、引用に対するデジタルの影響について論じていきます。

デジタルヒストリーの影響を懐疑的に見ると、それはただ単に伝統的な歴史学的手法を加速させたものに過ぎないと思うかもしれません。たとえば、研究者チームが何年もかけて『ハンサード』〔英国議会会議録のこと。後述参照〕をすべて読み、特定の単語や表現が出現する箇所をまとめて索引を作るのは可能かもしれません。ですが、今では一人の研究者が午前中にのんびり作業するだけでも同じものを作ることができます。しかし、第2章で見るように、『ハンサード』のデジタル化は歴史学にもっと深い変化をもたらしています。さらに言えば、スピードというものはそれだけで物事を変えてしまいます。デジタル化は歴史研究者の営みを根本的に変えてしまいましたが、すべての変化にトレードオフがあるように、これらの変化はポジティブなものばかりというわけでもありません。これから技術の発展がもたらした影響を見ていきますが、これはただ単にデジタルなアプローチを賞賛するものではありません。デジタルは歴史研究者の道具箱に新たに道具を追加するものであって、従来のツールに取って代わるようなものではないのです。

ここでは軽く言及するだけに留めますが、より広い視野に立てば、デジタルがもたらす根本的な変化は歴史研究者だけでなく、当然すべての人に影響を与えています。デジタルは、配管工、外科医、児童、レジ打ち、保護者の作業の進め方を変え、彼ら／彼女らをそのあり方から変えてしまったのです。[2)]そして歴史研究者もまた社会における変化によって流される集団のひとつに過ぎないのです。ニコラス・カー（Nicholas Carr）やマシュー・クロフォード（Matthew Crawford）のように、社会へのデジタルの影響を全体的にネガティブなものとみなし、とりわけ歴史研究にとっては中心となる読みや解釈に関わるスキルに対して与える影響を懸念する論者もいます。[3)]

アナログの世界が過ぎ去っていったわけではなく、田舎を歩くときにはスマートフォンの電源を切っても問題がないのと同じように、歴史研究者の仕事の世界も完全にデジタル化されているわけではありませんし、今後もそうならないことを願い、期待もしています。目録検索は今でも非常に頻繁に私たちを本や史料に導いてくれますが、ウェブは他の歴史研究者に引き合わせたり、文書館や図書館、博物館を訪れたりするための新しい機会を与えてくれるものです。デジタルの世界は本領を発揮すれば本当に価値あるものを見つけるための助けとなりうるものなのです。

デジタルヒューマニティーズとデジタルヒストリー

デジタルヒューマニティーズの定義をめぐっては、これまで多くのことが書かれ、また、議論されてきました。[4)] 本書はデジタルヒストリーを行うための実践的な入門書であって、こうした議論について改めて検討する場ではありません。しかし、1つだけ主張しておきたいことがあります。それは、デジタルヒューマニティーズを行うことは、プログラムを書くこと（コーディングとも呼ばれますが）を伴う必要はないということです。[5] たとえ、コーディングを含まないこの本が、それを示すことを意図したものではないにせよ、私たちはこの考え方に立っています。デジタルヒューマニティーズとは、私たちの考えでは、アプローチの問題です。もしあなたが、研究や教育、あるいは学習の場で、積極的かつ批判的にデジタルツールを使っているのであれば、あなたはおそらくデジタルヒューマニティーズを行っていると言えるでしょう。私たちは、誰に対しても、興味があればプログラミングを学ぶことをお勧めしますが、それがデジタルヒューマニティーズを定義しうる特徴だとは考えていません。[6]

デジタルヒューマニティーズとデジタルヒストリーの重なる部分は大きいです。両者に共通する技術は多く、他分野の研究者が利用していない歴史リソースはほとんどありません。たとえば、Early English Books Online（EEBO）は、1472年から1700年の間にイングランドまたは英語で出版された図書のページ画像を提供する商業ベースのプロジェクトです。[7] EEBOによってデジタル化された図書は、歴史研究者だけでなく、文学、神学、美術史、言語学、法学など、さまざまな分野の研究者にとっても非常に興味深いものです。[8] 学術コンソーシアムであるEEBO-TCPが提供する25,000件の本文テキストデータによって、さまざまな分野の多くの研究者がこのコーパスを利用し、デジタルヒューマニティーズの特徴の1つであるデータ収集を行うことができます。EEBOよりもずっと規模の小さいデジタルリソースであっても、さまざまな人文学分野の研究者にとっては有用です。したがって、デジタルヒストリーとデジタルヒューマニティーズとの間にはっきりした線を引くことに対しては、その意義を疑うべきでしょう。

スペインの歴史研究者アナクレット・ポンス（Anaclet Pons）は、デジタルヒューマニティーズと現在呼ばれているものの歴史について、次の3つの時代に分けて説明しています。

1. パイオニアによる成果という「英雄」の時代
2. コンピュータが普及しはじめ、「ヒューマニティーズ・コンピューティング」と呼ばれる分野があったウェブ以前の時代
3. ウェブが可能にした、多量を特徴とするデジタルヒューマニティーズの時代[9)]

コンピューティング時代のパイオニアたちの話をする前に、現在であればコンピューティングによって行われているであろう先行文献の事例として、T. C. メンデンホール（T. C. Mendenhall）の論文「語構成の特徴的な曲線」（The characteristic curves of composition）（1887 年）があります。ジョフリー・ロックウェル（Geoffrey Rockwell）とステファン・シンクレア（Stéfan Sinclair）が述べているように、メンデンホールは、フランシス・ベーコンがシェイクスピアの作品を書いたことを証明しようと、各著者の単語の長さの頻度を示すグラフを作成しました。[10)] これは決して最初の可視化事例というわけではありません。すでに 18 世紀に活躍したウィリアム・プレイフェア（William Playfair）が「時系列の折れ線グラフ、棒グラフ、円グラフという 3 つの基本的な統計グラフ」[11)] の発明者として、『オックスフォード英国人名辞典』（*Oxford Dictionary of National Biography*）に登録されているからです。しかし、メンデンホールの成果は今日行われていることときわめて響き合うものです。これを明らかにするために、ロックウェルとシンクレールは、ダウンロード可能な Jupyter Notebook を使ってメンデンホールの研究を再現しました。[12)]

しかし、初期のデジタルヒューマニストのなかでも最初の人物は、おそらくジョセフィン・マイルズ（Josephine Miles）でしょう。英語詩、特に 17 世紀の詩の研究者であったマイルズは、文学への計算機的アプローチの先駆者でした。特に、パンチカードと初期のコンピュータを使って、ジョン・ドライデン（John Dryden）の詩のコンコーダンス（作品に使われているすべての単語のアルファベット順の索引で、検索の助けとなるもの）を作成したことは有名で

す。[13] マイルズは、このプロセスとその利点について、次のようにはっきりと述べています。

> 作業量が多いこと、出版費用がかかること、資料に不慣れなアシスタントによる正確なチェックが難しいこと、これらの３つの本質的な課題がありました。そのため、チェックの支援として IBM の機械を使うことにし、これにより他の問題も徐々に解決していったのです。[14]

もっとよく知られているのは、少し遅れて登場した、ロベルト・ブサ（Roberto Busa）の成果です。彼は IBM のコンピュータを使って、トマス・アクィナス（Thomas Aquinas）の膨大な著作の索引付けを可能にしました。このプロジェクトの成果である *Index Thomisticus* は、息の長いデジタルヒューマニティーズプロジェクトの多くで認められて然るべき流れをたどりました。すなわち、まずは複数巻からなる印刷版が出版され、その次に CD-ROM で出版され、そして最後にはウェブ版が発行されたのです。[15]

デジタルヒストリーの始まりは、２つの歴史学的な動向と深く関係しています。それが、量的分析に焦点をあわせた、主にアメリカの**数量経済史（クリオメトリクス）**とフランスの**アナール学派**の２つです。数量経済史は、特に経済史や人口史の問題に適しており、統計的な手法とアプローチを重視しています。1958 年に発表されたアルフレッド・コンラッド（Alfred Conrad）とジョン・メイヤー（John Meyer）の論文「南北戦争以前の南部における奴隷経済」（The economics of slavery in the antebellum South）は、歴史学的課題に対する数量経済史の数学的アプローチの基礎を築いたものです。コンラッドとメイヤーは、南北戦争がなければ、南部では奴隷制が続いていただろうと主張していますが、それは奴隷制が利益を生むからです。しかし、この論文の新奇さは、結論にではなく、その方法にありました。著者らは、奴隷と綿花の価格、奴隷一人当たりの生産高、奴隷の平均寿命と生殖率（論文の表現は、その数字の背後にある恐ろしい現実に対して、熟慮の結果、中立的な立場を採っています）

といったデータを調査し、自分たちの「仮説」を検証しました。興味深いことに、本章のテーマが、幅広い技術的変化が歴史学の実践にどのような影響を及ぼしたという点にあることを考慮に入れると、コンラッドとメイヤーはこの問題に関するそれ以前のアプローチを次のように批判していました。

> 情報のさまざまな構成要素の価値をめぐる議論は、アメリカの会計学の運用の歴史的発展の多くを、その萌芽期において再構築するものです。[16)]

一方、アナール学派の歴史研究者たちは、アプローチや関心の先に多少の違いはあるものの、経済社会史の**長期持続**（*longue durée*）に焦点を当ててきたため、数量経済史の提唱者たちと同様、コンピュータがいかにこの作業を省力化しうるかという点に早くから関心を寄せていました。このグループの中でおそらくもっとも熱心だったのは、エマニュエル・ル・ロワ・ラデュリ（Emmanuel Le Roy Ladurie）でしょう。彼は、コンピュータが単に省力化をするためだけの装置ではなく、歴史学の方向性をも変えうるものであることを明確に理解していました。以前は「膨大な量の文書が研究者を麻痺させていた」のが、今では（彼はこれを1970年に書いていますが）「現代の技術によって…真の歴史学革命が可能になった」と述べていたのです。[17)]

イギリスの歴史研究においてコンピュータを利用した初期の事例として、ロデリック・フラウド（Roderick Floud）の研究が挙げられます。1965年に博士課程で研究をしていたフラウドは、あるエンジニアリング企業から膨大な歴史文書を入手し、その大量の資料をコンピュータを使って分析したのです。これは、フラウドが経済史研究者であると同時に、数量経済史の提唱者でもあったことを示すものです。コンピュータを使った初期の歴史研究は、当時のコンピュータが専ら数字計算機能のためにデザインされていたために、その計算にフォーカスしなければならないものでした。フラウドは、歴史研究者の中に数量経済史そのものに対して敵意を持つ者もいた一方で、その敵意がコンピュータの利用には向けられていなかったと後に回顧しています。「コンピューティングは…別な形の歴史研究が自然に発展したものだと確かに捉えられていました。」と。[18]

フラウドのその区別は、その後の数十年間に発表された、歴史学における計算機的アプローチに対する多くの批判をわかりにくいものにしました。実際に批判の的となったのは、研究対象となっていた大量の統計資料を処理するツールとしてのコンピュータの利用ではなく、方法論的に中心であった統計学の利用であることが多かったようです。[19] しかし、くどくど言いたくはありませんが、作業を可能にするのは道具であって、歴史研究のこの領域において、電卓のような日常的な道具の影響を無視してはならないのです。[20]

1987年にイギリスで設立された歴史とコンピューティング協会（Association for History and Computing）は、雑誌としての体裁を整えた学会誌『歴史とコンピューティング』（*History and Computing*）を 1989 年に創刊しました。その創刊号は「特集記事」、「教育」、「ハードウェア、ソフトウェア、コースウェア」、そして「書評」に分かれていました。特集記事には、データベースを使って 19 世紀のポルトガルにおける進歩主義運動の社会的基盤を分析した論文や、ハートフォードの選挙人名簿を使いイギリスの議会選挙について表計算プログラムから統計的に分析した論文が掲載されています。[21] 教育やツールに関する 2 つのセクションでは、このアプローチが多くの歴史研究者にとっていかに新しいものであったかを示すのと同時に、関心を持った新規参入者を温かく迎え入れる内容となっていました。このように、事前の知識を前提とせず、誰でも歓迎する環境は、いくつものデジタルヒストリーの出版物に受け継がれており、その中にはチュートリアルサイト *The Programming Historian* なども含まれます。[22]

技術的変化

歴史研究者はデスクトップツールやアプリケーションにも影響を受けていますが、歴史研究者のためではなく、まったく別の用途のために作られたツールが主に使われたりもしています。Microsoft Office は、その名のとおり、オフィスに従来あったものをソフトウェアへ置き換えようとするものです。タイピストたちの代わりに Word と Outlook を、経理担当者の代わりに Excel を、そして印刷担当者の代わりに PowerPoint を、といった具合にです。しかし、それらの職が失われたことで、その仕事を担当していた人たちのスキルが不十分なままに置き換わってしまいました。[23] Word は、私たち全員を植字工としましたが、ほとんどの Word 文書を見れば、実際にはそれを扱うためのトレーニングが必要だということが分かります。実のところ、私たちが文書を印刷するときに使用する A4 サイズの紙は、もともと手書き用の手紙サイズとして決められたものなので、あまり良い選択とは言えません。学術書と標準的な A4 サイズの Word 文書を比較すると、学術書の方がはるかに読みやすく、理解しやすいと思うでしょう。A4 用紙は手書き用に適したサイズであり、だからこそ 1 段組の印刷には向いていないのです。[24] 習慣と、ある種の技術的な囲い込みが、歴史研究者の仕事のあり方というものを微妙に形作っているのですが、それが疑問視されたりあるいは評価されたりするということはほとんどありません。[25] アナクレット・ポンスは、これらのツールが実際にもたらした重大な影響というものを見失ってはならないと、正しく注意を促しています。

> 私たちはそれらを日常的なリソースとして受け入れてきました。あたかも、私たちがそれをつねに享受し、また、ごく自然なものとして、私たちの〔歴史研究者としての〕職業のあり方を完全には変えていないかのように吸収してきたのです。[26]

デジタルヒストリーにおける特定の技術の台頭を説明するには、デスクトップコンピューターで利用可能なツールに着目すると良いでしょう。第 7 章で説明するデータの可視化から 2 つの例を挙げると、たとえば Excel にはデフォルトでいくつかの図表作成ツールが備わっており、ボタンをクリックするとデータが可視化され、別のボタンをクリックすれば別の形で作成されます。図表を含む多くの論文は、まさにこのような方法で作成されています。Excel に備わっている可視化ツールの利用をさらに後押ししているのは、多くの人文系の学術雑誌がWordと類似の、あるいはWordのみのフォーマットで論文投稿を求めているからです。この2つのプログラムの間には相互運用性があるため、他のソフトに比べ、Excelの図表をWordで扱うのが簡単なのです。Microsoft Officeのユーザを非難しているのではありません。ツールが制約をもたらしていることを指摘したいのです。Excelは、限られた種類と形状の可視化ツールしか提供していません。そのために、それらのツールが必然的に歴史研究者の成果を形作ることになってしまうのです。

社会科学系研究者によって開拓されたソーシャルネットワーク分析でのネットワーク図やその技術が歴史研究者の間で関心を呼んでいることにも、Excelは関わっているかもしれません。2008年に初登場したネットワークソフトウェアのGephiは、それ以前に使用されていた別のソフトウェアよりも使いやすいと人文系研究者によく言われています。[27)]Gephiは Excelから直接データを取り込むことができるので、研究者は別のフォーマットを覚える必要がなく、使い慣れた形式でデータを準備することができます。Gephiや類似のソフトが、無料でアクセスできるソフトとして登場していなかったら、歴史学におけるネットワーク分析の論文は少なくなっていたかもしれません。

これは、技術的な変化が歴史学の実践に影響を与えうるという、起こりうる多くの事例の一つに過ぎません。ソフトウェアは、その使用方法を学ぶ時間が限られている歴史研究者にとっては、少し使えばすぐに結果を見ることができ、それを踏まえてじっくり学ぶに値するものかどうかを評価できるものが好まれます。このことは常識的なことと思えるかもしれませんが、とりわけ当たり前のように使われている日常的なツールを通して、歴史学の実践は形成されているのです。

標準的なデスクトップコンピューターのようなハードウェアが改良されたことで、動画編集や3D作成といった技術が、以前と比べて広く浸透するようになりました。それというのも、それに必要な処理能力やグラフィックスの機能が、研究室の設備では不十分だったからです。専門家向けのハードウェアから一般的な設備へと移行することで、より気軽に実験できるようになります。たとえば、デジタルヒューマニティーズのセンターや「ラボ」の中にはある特定のプロジェクト資金ではなく、お試し作業のためだけに 3D プリンターを購入できるようなところもあります。[28)]

情報の入手可能性という点で考えると、デジタルヒストリーの研究手法が、研究対象としている時代によってそれぞれ質的に異なっているということが明らかになってきました。中世史では、データ量は比較的少なく、その多くはテキストです。一人の人間が読みとおすには多すぎる量ですが、とはいえデジタルツールでアプローチできるコーパスであることは間違いありません。対照的に、20 世紀史の研究者は、音声や動画を含むさまざまなメディア、それも比較的大量のデータに直面しています。このような大量のデータをどのようにして選別するのかという問題がありますが、これについては第 2 章で説明します。また、多くの資料がいまだ著作権で保護されており、アクセスが難しいだけでなく、分析や複製も難しいかもしれません。デジタルデータが指数関数的に増加していることを考えると、21 世紀史の研究者にとってこれらの問題はさらに深刻なものとなるでしょう。[29)]

これまで見てきたように、デジタルヒストリーは設備上の理由から以前は困難だった領域にも徐々に拡大していく傾向があります。さらに、ここでもう一つの事例を付け加えましょう。**ビッグデータ**です。ビッグデータにはさまざまな定義がありますが、ここでは、絶え間なく更新される実世界の情報の大きな流れから生じたデータだと考えてください。たとえば気象予報士はビッグデータを駆使するユーザです。コンピュータの膨大な性能を操りデータを処理し、5 日間の天気予報などを作成しています。ビッグデータには特別な意味があり、ややもすれば大げさなところもあることから、研究助成申請書に書く大言壮語に混ぜて使うのに便利な言葉ではあります。また、そのためにディグナツィオ（D'Ignazio）とクレイン（Klein）は『データフェミニズム』（*Data Feminism*）の中で、これを「巨根データ」（Big Dick Data）と呼称したりもしています。[30)]

人文学におけるビッグデータの例としては、2016 年に行われた英国の EU

発見する

データ量の多い領域であれ、少ない領域であれ、デジタルが歴史研究者に与えるもっとも劇的な影響は、発見のしやすさにあります。読み書きはデジタル形式であることによって可能になる（し、あるいは妨げられる）かもしれませんが、検索による最初の発見ほど桁違いに速くなることはないでしょう。

技術史上の予言に、エンジニアのヴァネヴァー・ブッシュ（Vannevar Bush）による「われわれが思考するごとく」（As we may think）という文章があります。1930年代、ブッシュは、コンピュータが単に数字を処理するだけの機械ではなく、複数の情報源をハイパーリンクで結びつけることができるものだと考えていました。ブッシュは、自身が想像したその環境を「メメックス」（memex）と名付け、科学者だけでなく、歴史研究者にとっても有用であると考えていました。

> 歴史学者がある民族の膨大な年代記を研究する際には、併行してとくに重要な事項のみを選んだ検索経路を準備しておき、いつでも、特定の時代の文明のあらゆる側面へと導いてくれる時代別の検索経路をたどることができる。検索経路の開拓は新たな職業となり、これに従事する人々は、公的記録の膨大な集積の中に有益な検索経路を進んで確立していくのである。[38)]〔なお、訳はヴァネヴァー・ブッシュ著、西垣通訳「われわれが思考するごとく」『思想としてのパソコン』NTT出版, 1997, p.86に従った〕

電子図書館のようなテキストリソースは、今日の私たちには必然のもののように思えますが、アメリカの科学者J.C.R.リックライダー（J.C.R. Licklider）は、1965年に発表した『未来の図書館』（*Libraries of the Future*）の中でそれを予見していました。彼は図書館が「予知能力のある」ネットワークコンピュータになると主張しました。この考えは、サイバネティックスの原理（情報の保存、検索、人間組織、制御システム）に由来するもので、コミュニケーションの数学的モデルとネットワーク理論に基づくものでした。[39]

ドライデンやアクィナスの索引作成という学術的な、あるいは別世界というべきプロジェクトとは対照的に、全文検索を伴う営利目的のデジタル化は、LexisNexis などの企業が法律調査のニーズに応えるかたちで、1970 年代に本格的に始まったものです。犯罪と刑罰を研究しているティム・ヒッチコック（Tim Hitchcock）が述べるように、西洋の法制度は「デジタル検索ツールの利用と同義」です。[40] さらに彼は、法律文書のデジタル化が、主に法律事務所のために行われ、次にファミリーヒストリアン（家系研究家）のために行われる一方で、学術的な歴史研究者のためにはほとんど行われていないことがもたらす結果について調査を進めています。ここでヒッチコックは、デジタルヒストリーの重要な特徴を明らかにしています。それは、何がデジタル化されているのかということ、そしてそれと同じくらい重要なことに、それらがどのようにデジタル化されたのかということには、商業ベースの考えが大きく影響しているということです。

先ほど言及した *Index Thomisticus* の出版の経緯は、歴史研究者にとって有用ないくつかの主要な資料でも踏襲されています。インターネットが普及する前には、『イギリス・アイルランド史文献目録』（*The Bibliography of British and Irish History*）（当時は『王立歴史学協会文献目録』（*Royal Historical Society Bibliography*）として知られていました）や『オックスフォード英語辞典』（*Oxford English Dictionary* ／ OED）などの印刷物が、まず CD-ROM で登場し、後になって、ウェブリソースとして生まれ変わりました。『イギリス・アイルランド史文献目録』の場合は、1909 年から書籍として出版され、テーマ別の巻の補足として、文献目録の対象範囲内のすべての資料を網羅したアップデート版が毎年刊行されていました。ツールとしての価値は非常に高いものの、書籍という形態では更新に時間がかかり、どうしても関連する文献（たとえば、同じ著者の著作）が多くの書籍に散らばってしまうものです。検索は、必然的に巻ごとに異なる構成と索引に限定されていました（長期にわたる出版プロジェクトでは、一貫性のなさがどうしてもついてきます）。1995 年に出版された CD-

ROM版『王立歴史学協会文献目録』では、検索の問題のみ改善されましたが、当然ながら更新の問題は残されたままです。歴史研究者が非印刷資料に困惑していたことは、CD-ROMのケースに同梱されていた小冊子に表れており、そこには分類の説明とプロジェクトの歴史が書かれています。このような補足資料こそCD-ROM自体に収録されてもよかったのではないかと思われます。[41)]

このような学術ツールよりもずっと商業的には成功したツールである家系図資料も、インターネットが普及する前はディスクで出版されていました。巨大な有料オンラインコーパスであるAncestryは、普及したフロッピーディスクやCD-ROMにデジタル版の前身があります。これらのリソースが、それぞれ利用者こそ異なりますが、デジタルヒストリーにおいてファミリーヒストリー研究の流行を形作ったのは明らかです。在野のファミリーヒストリアンは素晴らしい研究スキルをしばしば身につけているものですが、彼らのニーズや関心事はアカデミックな歴史研究者のそれとは異なります。今のところ、注目すべき点は、デジタル化されたものは、されていないものよりも過度に注目されるということです。

商用サービスの中でもっとも影響力のあるGoogle Booksは、2004年にデジタル化事業を開始しました。大学図書館と協力し図書をデジタル化することで、オンラインで自由に利用できるようにしたのです。このようなプロジェクト自体は目新しいものではありませんでしたが（プロジェクト・グーテンベルク（Project Gutenberg）は1971年、インターネット・アーカイブ（Internet Archive）は1996年に開始していました）、Google Booksという規模の大きさと知名度の高さは群を抜いていました。Googleが目指したのは迅速かつ大規模なデジタル化でした。何百万冊もの書籍について、著作権の状況に幅広く対応しさまざまな形で利用できるようにすることに成功したのです。Googleの目的は研究者のニーズを満たすことではなく、ウェブ検索の優位性の維持あるいは拡大にあったと考えるのが妥当でしょう。このように考えると、研究者がGoogle Booksは自分たちのニーズを満たしていないと不満を口にするのは、お門違いかもしれません。それはそもそも彼ら／彼女らのニーズを満たすために設計されたのではないのですから。ですが現実に歴史研究者はGoogle Booksを利用しており、Google Booksには重大な制限や欠点があります。すなわち、本格的な研究活動にとってメタデータに不十分なところが多いということ、また、アクセスできる範囲にばらつきがある（一冊まるまる読める本もあれば、ところどころしか利用できないものもあり、あるいは、まったく中身を読めないものもある）ということが、読まれるものと読まれないものとに偏りを生じさせているということです。もっとも根本的なことは、Googleが私企業であって、研究者の許可を得ずに自社製品を変更することができ、また実際に変更しているということです。それにもかかわらず、Google Booksは今や歴史研究という生態系の一部となっており、頑強な外来種のようにその存在が生態系全体に影響を与えているのです。

何千、何百万もの書籍や新聞に対するキーワード検索技術のおかげで巧みな検索が可能となり、歴史研究者が紙の史料やマイクロフィルムをただ目で追って読んでいたのでは見つけられなかったような、史料上の証拠を発見することが可能になりました。歴史研究者のダン・コーエン（Dan Cohen）が実践しているように、この効果のひとつが民主化のプロセスというものです。精読はごく一部の古典に特権を与えるものですが、この集約プロセスとして知られている**遠読**（*distant reading*）は、はるかに幅広いものであり、たとえば19世紀のあらゆる種類のテキストをその視野に収めることができるようになるのです。[42)]

多くの歴史研究者は、キーワード検索を通じて読むことが歴史研究者の文脈的知識に影響を与えることについて、疑問を呈しています。私たちは19世紀の新聞が当時の読者にどのように読まれたかを明確に想像することができます。また、検索によってある記事にジャンプし、それを単独で読むことによって、多くの文脈的知識が失われることになることも理解できます。その記事はページのどこにあったのか？　その記事の周囲にどのような記事や広告があったか？　新聞のどこに載っていたのか？　ましてや、その新聞が同じ話題を報じる場合の経年変化の文脈はどうだったのか？　ララ・パットナム（Lara Putnam）は、このようなジャンプする行為を「横目読み」（side-glancing）と呼び、資料を読むために文書館に出向いて得られる利点と対比させ、次のように述べています。

> 税務データや警察の通信記録を国立公文書館で調べる場合には、政治闘争や国家形成の史料も多数読みとおさねばなりません。[43] たとえ本当に調べたいことが穀物価格や売春についてであったとしても。

この指摘はもっともですが、「横目読み」がデジタルテキストだけのものか、デジタルテキストに内在する問題なのかははっきりしません。19世紀、ロンドンの公記録館（Public Record Office）は、主に自館で所蔵している英国の国務文書資料を調べるのに役立つ膨大な量の検索補助資料の作成を始めました。この『国務文書要綱』（*Calendars of State Papers*）は、あるテーマに関する文書を年代順に整理した（アーカイブズ規則では必ずしも必要ではなかった作業です）だけでなく、その印刷版には索引も付けていました。この印刷版の検索手段は、他の多くのものと同様、研究者が特定の文書群に飛び込んで、キーワード検索とまさに同じように文脈を無視してつまみ食いすることを可能にするものです。これは「横目読み」にはあたらないのでしょうか？

実際、アン・ブレア（Ann Blair）は、印刷物が登場する以前からも、研究者が引用したテキストを実際に読まなくても済むように、多数の検索補助ツールを利用することができたと記しています。「印刷版の参考図書が持つ特徴の多くは、... 中世の写本の慣習を印刷版に適応させたもの」であり、「読解や読み直しに代わるものであった」というのです。今日、デジタルな検索補助ツールが研究支援アシスタントともどもあまり知られていないのと同じように、印刷版の検索補助ツールは、写本筆記者、そしてその妻子を含め、ほとんど知られていないものでした。[44]

このことは、〔キーワード検索に対する〕懐疑論者がデジタルリソースの使用に反対しているということを意味するものではありません。ブレアが辞書やコンコーダンス、カタログなどの補助ツールに反対していないのと同じです。

パットナムも、この２つのアプローチが協力し合う必要があることを明確に述べています。

> 検索結果に表示される断片的な情報だけでなく、特定の時代や場所で起きていたことの全体像を時間をかけて知ることで、「横目読み」を補完する必要があるのです。[45]

検索は目的ではなく手段であり、方法ではなく技術であるということを認めることができたとしても、検索が特定の文脈で何を行っているのかについてできる限り多くを知っておくことは依然としてきわめて重要なことです。多くのウェブユーザは、Google が検索結果の表示のためにどれほどそのユーザについて把握し、それをもとに調整しているかについては気にも留めていません。少なくとも Google は、あなたのデバイス、位置情報、そのデバイスでの検索履歴、以前にクリックした検索結果について把握しています。もしあなたが Google にログインしていれば、確実に Google はさらに多くのことを知っています。Google はマジシャンというよりも、あなたの投稿を読み、あなたのゴミ箱を調べる私立探偵のような存在です。Google が成功しているのは、まさにこれを精力的に行っているからです。[46] 検索と検索者を匿名として扱う DuckDuckGo のような検索エンジンを使ってキーワード検索を試してみることで、より一般的な、パーソナライズされていない結果がどのようなものかを見ることができます。[47]

Google の優位がもたらす過剰な影響は、他の検索エンジンにも Google と同じように振る舞うことを期待してしまうことにあるでしょう。Google の検索ボックスの便利さゆえに、歴史研究者は、他のリソースに対しても同じように検索してしまうかもしれません。そのようなリソースには Google の本体ともいえる外的知識がないために、Google 検索と同じようにはいかないのにも関わらずです。

検索結果の基本的な区別に**適合率**（*precision*）と**再現率**（*recall*）があります。

適合率が高いということは、返された結果のうち、より多くが検索内容に関連しているということを意味します。再現率が高いということは、検索した文書から多くの検索結果が得られたということを意味するものです。通常、再現率が高いと適合率が低くなり、その逆もまた然りです。このことを理解するために、あなたが顔を認識するのが苦手だと想像してみてください。あなたは大規模なパーティーに参加していて、そこには知り合いも参加しています。確実に知っている人だけに挨拶をすれば適合率は高くなりますが、単に面識があるという人を無視することになるので再現率は低くなります。逆に、なんとなく知っている人にも挨拶した場合は再現率は高くなりますが、知らない人にも挨拶してしまうので適合率は低くなります。

ここで重要なのは、リソースが検索ソフトを設定する際に、リソースは適合率や再現率に対するあなたの好みはおろか、場合に応じて好みが変わるあなた自身についても知ることができないのです。検索結果が多すぎれば、結果から選び出すためにも適合率が高いほうを好むでしょうし、逆にあまりに少なければ再現率が高いのを望むでしょう。検索結果に十分目を通したか、あるいはすべてを把握するために十分な努力をしたかを判断する際、検索設定にとっても、あなたにとっても、つねにトレードオフの関係が存在するのです。

ティム・ヒッチコックは、検索とその複雑さが、歴史研究者の方法論や専門的な能力からほとんど完全に排除されていることを嘆き、強調しています。加えて、検索というものが本質的に再現性のないものであるとも述べています。[48)]これらは重要な問題です。歴史研究者はこれらの問題について自ら学び、そして、検索の利用や検索結果の読み解き方について、もっとオープンに議論していくべきでしょう。

叙述する

時に古い技術というものは、葬式のときの霊柩馬車のように、心に訴えかける力があるために生き残っていることがあります。[49)] 専門書についても同じことが言えるのではないでしょうか。エドワード・L・エアーズ（Edward L.

Ayers）は1999年に書いたエッセイの中で、「変化が急速であったにもかかわらず、実際の歴史叙述はまったくの手つかずで変化していないままだ」と述べています。[50] 2013年、デジタルについて書いたティム・ヒッチコックは、「これらの発展は、われわれが書いている歴史の種類にほとんど実際には影響を与えていないようだ」と述べています。[51]

エアーズや1999年にロバート・ダーントン（Robert Darnton）が想像した、未来の専門書は多層構造となるという歴史叙述のエキサイティングな未来は、専門書のレベルではほとんど実現されていません。[52] 第2章と第6章[i]で改めて取り上げるオープンアクセス出版への動きは、学術雑誌論文と専門書の両方においてアクセスを容易にし、オープンピアレビューが行われている場合には、より透明性を与えるものとなりました。しかし、正式な研究成果発表のための歴史叙述が本当に変わったとは思えません。

叙述プロセスにおける別の段階では間違いなく変化が認められます。文書館内では文書を簡単に写真撮影できるようになり、それによって、文書館に行くのはコーパス作成のための作業となっています。現地で資料を読んだり、翻刻したり、また、メモを取ったりといった、〔資料〕選択について慎重に考える必要がある作業は、文書館で行う重要度が下がってきています。[53] 手でメモをとることは学習にとってより効果的であるとする研究結果も多く存在しています。それというのも、ノートパソコンでは気が散ってしまうという理由もありますが、手書きの場合はスピードが遅いため、資料を要約する必要があり、その結果、脳での処理がパソコンでの作業とは異なると考えられているからです。[54]

第6章で述べるように、インターネット時代において、書くという行為を通じた歴史学の発信は盛んに行われるようになりました。もし望めば予備的な考察をブログやFacebookに投稿して、他の研究者からコメントを得ることも可能です。Twitterで特定のテーマや資料についてアドバイスを求めることも

i　原文では「第7章」とあるが、「第6章」の誤りと思われる。

できます。たいていの歴史研究者は、より多くのことを、さまざまな読者に向けて書くものです。歴史研究者は研究プロセスのあまりに早い段階で文章を書き始めるようになったのではないかという考えもありますが、[55] 幅広くどんどんと書いていくことは執筆スキルを磨くには有利です。さらに、校正が容易になったことで、手書きやタイピングではひどく時間を要していた修正作業をより迅速に処理したり、推敲したりすることができるようになりました。以前は、研究と執筆の時期を明確に分けていましたが、技術的な理由からその区別が薄れつつあります。

デジタルツールが歴史叙述を変えた最後の局面は、コラボレーションという新たな機会を提供したことにあります。もっとも基本的なレベルでは、Google ドキュメントを同僚と共同で編集しながら、その修正点を Skype で話し合うといったことが挙げられます。本書では、歴史研究者が遠隔地にいながらにしてテキストを共同編集する際に使用できる無料のバージョン管理ツールである Git の使い方を紹介します。ですが、ツールの選択肢はつねにたくさんあります。

これらはすべて、歴史研究者が以前から似たような効果を得るために使用してきた電話やファックス、ワードプロセッサーに追加された機能です。しかし、歴史データが機械可読形式で大規模に利用できるようになった今、コンピュータサイエンスや統計学者など、他分野の研究者とのコラボレーションの可能性は高まっています。分野を超えた共同研究を考える際に重要なのは、潜在的な共同研究者があなたの研究課題を解決する手助けに関心があるわけではないということです。共同研究者は、単なる協力者ではなく、自分自身の研究に対して知的関心を持っていなければなりません。研究課題の魅力を歴史研究者が推し測るのは難しいでしょう。私たちにとっては用心せねばならない大変な問題でも、他の分野の専門家にとっては当たり障りのない興味のないものかもしれないからです。とはいえ、厄介な歴史学的問題は、たとえばコンピュータサイエンスへの応用にとっては興味深いものになることも多いのです。

このような生産的な学際的パートナーシップの一例として、18 世紀イギリス貿易の歴史研究者であるシェリルリン・ハガティ（Sheryllynne Haggerty）とコンピュータサイエンティストのジョン・ハガティ（John Haggerty）の研究が挙げられます。二人は、リヴァプールの商業史とネットワーク理論というそれぞれの専門性を生かして、リヴァプールの商取引のネットワークを可視化しました。二人は、1750 年から 1810 年の間の 1,700 人の人物における 21 万件の関係を分析し、時系列でその変化を示すことに成功しました。その結果、奴隷貿易に深く関わっていた都市で、1806 年に奴隷廃止論者の下院議員が選出されその際に 2 人の奴隷商人が推薦し、後押ししていたという不思議な現象について説明することができたのです。(このような人々は多様な資産を持っており、実際にはほとんどの場合、奴隷売買はその中心ではなかったということを示唆しています。)[56] このような共同研究を成功させるためには、共同研究者は他の共同研究者のスキルや経験を尊重するだけでなく、きわめて正当なものとして、共同研究者の関心の焦点がそれぞれ異なるものであり、したがって、共同研究者がどこで成果発表を行うかについても考えが異なるのだという事実をうまくマネージメントしていく必要があります。これがうまく機能し、二人が「ラディカル・コラボレーション」と呼ぶ事例については、Living with Machines プロジェクトをご覧ください。[57]

引用する

歴史学の方法の変化の中であまり話題になっていないのが引用です。この変化は、まさにその結果が見えないものであったために、ほとんど目にすることができませんでした。つまり、引用の仕方は、あたかも私たちが印刷文化のなかだけで生きているような形で続けられてきたのです。多くの歴史研究者はオンラインで読んでいるものを黙って刊行資料に変えているだけでなく、中にはこの実践を強く推奨している人もいます。

明け透けにしておくことよりも曖昧にすることを選ぶ理由はさまざまですが、主に 3 つの問題点があります。1 つ目はリンクが永続的ではないこと、2 つ目はリンクが人間が読むのに適していないこと（データベースへの参照が曖味になってしまうためです)、3つ目がURLは入力が難しく、一般的に見た目が良くないことです。あまり語られませんが、紙の資料を引用する方が「学術的」であるという考えも根底にはあります。前述したように、古い技術形式には権威を帯びる傾向があるからです。[58]

1点目に応えるとすれば、印刷資料を引用すること自体は永続性を担保するものではないということです。近世の書籍の残存率は1%と推定されています。[59] 本は自然に生き残るものだと考える人は、ご自身の蔵書を10年間野原にさらしておき、戻ってきたときに何が残っているかご覧になってはいかがでしょうか。図書や写本がこれほどまでに生き残っているのは、大規模で国際的なインフラ組織がそれらを保存するために多大な注意と努力を払っているからです。その専門知識を持つ司書やアーキビストには感謝しなければなりませんが、それに匹敵するインフラ組織はまだデジタル資料（digital objects）には存在しません。言い換えれば、これは私たちが現在行っている文化的な選択なのであって、デジタル資料を引用しないという選択は、デジタル資料の保存を求める主張を弱めることにもなるのです。

印刷資料を引用しつつ論文が書かれたオンラインの研究がもつ歪みを指摘した数少ない人物の一人が、ティム・ヒッチコックです。

> もはや時代遅れのフォーマットに固執し、私たちが実際に参照している電子的な表現と直接つながる性質を断固として無視することによって、新技術の影響は微妙に軽視されてきました。歴史学という学問領域は、デジタルリソースを生み出すことにはほとんど関与せず、また、デジタルに対応するために歴史学がその学問的知識を描き出す方法を変えることにもまったく関心がないのです。歴史学は現実から目を背け、この問題をすべて無視しようとしています。[60]

ヒッチコックは、前述のパットナムと同様、アナログ形式での読書はしばしば没入型であるのに対し、キーワード検索によって行われる読書は「つまみ食い」であるという重要な指摘をしています。どちらのタイプの読書にもそれぞれの役割がありますが、一方を主張しながら他方を行うというのは、深刻な虚偽表示です。皮肉なことに、伝統的な印刷資料を読むことを擁護する人たちこそが〔オンライン資料の代わりに印刷資料を〕引用するよう求めていたりするのです。いわば、くり抜いた本の中にノートパソコンを隠しているようなものです。ヒッチコックが強調している2点目は、すでに述べた論点ですが、オンラインでのキーワード検索の結果が本質的に再現不可能なものであるというものです。これは、検索が個人的なものであり、刻々と変化する方法であるために生じるものです。[61] このような場合の引用は、慎重かつ誠実に行われるべきとされています。

歴史研究者がアナログのものよりもデジタルリソースを使うようになると、研究者の成果もデジタルやデジタル化されたものへと偏っていくことになります。これは仕方のないことかもしれません。著名な雑誌に掲載された論文のほうが、あまり知られていない雑誌に掲載された同程度の論文よりも読まれ、引用される可能性が高いのと同じです。しかし、それらの資料のアナログ版のみを引用することは、その偏りを覆い隠すものであって、読者がそれを認識し、正面から向き合うことを非常に困難にしてしまいます。イアン・ミリガン（Ian Milligan）は、カナダの新聞における印刷版の引用に関する研究をすることで、デジタルソースの隠れた優位性というものを明らかにしました。カナダ史の博士論文では、*The Toronto Star* や *Globe and Mail* といったデジタル化済みの新聞史料が、まだデジタル化されていない *Montreal Gazette* や *Toronto Telegram* と比較して、「印刷版の史料として」引用される傾向が桁外れに大きいものであることを彼は発見しました。この矛盾は、2つのデジタル化新聞史料が利用可能になる前には認められなかったものです。「ほとんどの部分で」とミリガンは控えめにコメントしていますが、これらの博士論文におけるオンラインデータベースの利用は「せいぜい潜在的なものにとどまっている」といいます。[62] 間違いなく、歴史研究者の史料の利用においては同様の偏りが数多くあることが明らかになるでしょうが、問題なのはそもそも隠蔽されるべきことだったかどうかということでしょう。

デジタル史料の引用は歴史研究者にとっての課題ではありますが、それは正面から向き合うべきものであって、実際の研究習慣が変わるように望んで努力するというものではありません。しかし、繰り返しになりますが、アンソニー・グラフトン（Anthony Grafton）が脚注の歴史に関する著書の中で見事に明らかにしたように、学問的に完璧な状態で存在していた引用の黄金時代というものは実際には決して存在しなかったのです。引用は、国や文化、時代によって異なります。引用は、研究者の足跡をたどるための道のりというよりも、研究者の資格を示すため、つまり「ギルドのメンバーや個人的な推薦の機能を果たす、いわば正当性を与えるためのもの」として機能していることが多いのです。[63)]

結論

歴史学の実践は、つねに史料の入手可能性と技術的な利用可能性によって、そしてまた、技術的な能力、個人とその個人が生きる社会の関心、そして多種多様なイデオロギーの介入によって形成されてきました。デジタルヒストリーは、このような状況をはっきりと浮き彫りにします。歴史データが扱いやすく、機械可読な形式で自由に利用できるなら、そうでない場合よりも利用される可能性が高くなります。私たちがデジタル化するものは、私たちがもっとも重要と考えるものを示しているのです。経済用語で言えば、これは「顕示選好」（revealed preference）です。すなわち、歴史情報に価値を置くかどうかは、人々や国家が関心や支持を表明することによってではなく、何にお金を払うかによって示されるのです。

デジタルはアナログの代わりではないということが明らかになってきたと思います。デジタル化は、デジタル化された元の遺物を破壊する言い訳にはなりません。アンソニー・グラフトンは、文書館内で手紙の匂いを嗅いで酢の匂いを確かめていたとある研究者について言及しています。これは、酢がコレラに対する予防策として使用されていたため、その匂いによってコレラの流行とその時期を示すことができるからです。[64] 実際、オリジナルの史料は多くの目的にとって不可欠なものです。同じように鮮やかに、メグ・トウィクロス（Meg Twycross）は、高精細カラーデジタル画像を使って、「デジタル化以前に可能だったものよりもはるかに効果的な ... 写本の修復」を可能にする写本作業の事例を紹介しています。[65] どちらのアプローチも必要なものなのです。

1 'C'est une tâche difficile – condamnée à l'avance – que de dire en quelques mots ce qui a vraiment changé dans le domaine de nos études, et surtout comment et pourquoi le changement s'est opéré.' Braudel, *Écrits sur l'histoire*, p. 19.

2 医師への影響については、Gawand."Why doctors hate their computers" を参照。

3 Carr. *The Shallows*（邦訳：ニコラス・G・カー著、篠儀直子訳『ネット・バカ：インターネットがわたしたちの脳にしていること』青土社、2010 年）、Crawford. *The World Beyond Your Head*、Newport. *Digital Minimalism.*（邦訳：カル・ニューポート著、池田真紀子訳『デジタル・ミニマリスト：本当に大切なことに集中する』早川書房、2019 年）デジタル環境での読書とアナログな読書の違いに関する臨床的研究はいまだに研究途上ですが、この問題点については Wolf, *Reader, Come Home*（邦訳：メアリアン・ウルフ著、大田直子訳『デジタルで読む脳×紙の本で読む脳：「深い読み」ができるバイリテラシー脳を育てる』インターシフト（合同出版）、2020 年。）で議論されています。

4 この議論については、Gold and Klein, *Debates in the Digital Humanities 2016* の一部を参照。

5 Tamm and Burke eds., *Debating New Approaches to History* 所収の Winters と Anderson との議論（pp.291-295）を参照。

6 これとは対照的に、計算機的思考の重要性を強調したものに、Berry, *The Philosophy of Software* があります。

7 このプロジェクトは 1930 年代に資料保存対策として始まったものです。University Microfilms 社が写真を撮影し、マイクロフィルム製品として研究図書館に販売していました。インターネット時代になってからは、別のマイクロフィルムの出版社である Chadwyck-Healey 社と合併し ProQuest 社と名を改め、ウェブを通じて同製品のアップデート版を、目録検索機能とともに販売しました。そこから派生したのが EEBO-TCP であり、これは、EEBO の 5 万点ものページスキャン画像すべてをテキスト化する大学コンソーシアムによるプロジェクトでした。

8 Siefring and Meyer, 'Sustaining the EEBO-TCP Corpus in Transition', p.25.

9 Pons, *El desorden digital*, p.38.

10 Rockwell and Sinclair, 'Thinking-through history of computer-assisted textual analysis', in Crompton et als, eds, Doing Digital Humanities.

11 Spence, ‘Playfair, William (1759–1823)’.

12 Rockwell and Sinclair, 'Thinking-through the history of computer-assisted textual analysis'. Jupyter Notebook（https://jupyter.org/）は、ブラウザ上で動作する対話型コーディング環境で、コードの動作結果も表示することもできます。当初は Python 用に開発されたため、「py」という綴りになっていますが、その後、他のプログラミング言語にも拡張されました。ロックウェルとシンクレアのノートブックは、https://github.com/sgsinclair/epistemologica/blob/master/Menden hall-CharacteristicCurve.ipynb で公開されています（いずれも 2020 年 7 月 8 日アクセス）。

13 'Josephine Miles', Wikipedia, https://en.wikipedia.org/wiki/Josep hine_Miles (accessed 8 July 2020).

14 Montgomery et al., eds, Concordance to the Poetical Works of John Dryden, introduction, no pagination.

15 Busa et al., Index Thomisticus, www.corpusthomisticum.org/it/index.age (accessed 8 July 2020).

16 Conrad and Meyer, ‘The economics of slavery in the antebellum South’. 同著者らによる *The Economics of Slavery*, p. 44. 所収

17 ‘l’énormité de la documentation semble avoir paralysé les chercheurs’. Le Roy Ladurie, ‘Le mouvement des loyers parisiens de la fin du Moyen Age au XVIIIe

siècle', p. 116 in *Le territoire de l'historien*; 'les techniques modernes … permettent une véritable révolution historiographique', p. 117.

18 'Professor Sir Roderick Floud'インタビュー文字起こし. Making History, https://archives.history.ac.uk/makinghistory/resources/interviews/Floud_Roderick.html (accessed 8 July 2020).

19 フランスと英語圏の歴史研究者によるこうした批判の例は、Pons, El desorden digital, pp. 53–60. にまとまっている。

20 1964年に発表された電子計算機のプログラム版Programma 101のこと。次を参照。Programma 101, Wikipedia, https://en.wikipedia.org/wiki/Programma_101,(accessed 8 July 2020).

21 *History and Computing*, 1:1 (1989), iv.

22 The Programming Historian, https://programminghistorian.org/ (accessed 8 July 2020).

23 Sassone, 'Survey finds low office productivity linked to staffing imbalances'.

24 Paul Stanley, response to jlconlin, 'Why are default LaTeX margins so big?', TeX-LaTeX Stack Exchange (posted 11 September 2012), https://tex.stackexchange.com/questions/71172/why-are-default-latex-margins-so-big#71211, (accessed 8 July 2020).

25 1984年に書かれたLevyの"A spreadsheet way of knowledge"では、電子表計算ソフトの導入によって引き起こされた文化的な変化について、いくつか良い指摘をしています。表計算プログラムの利用がデータの利用方法にどのような影響を与えるかという研究については、Dourish, *The Stuff of Bits*, pp.81-105を参照してください。また、Microsoft WordについてはBerry and Fagerjord, *Digital Humanities*, pp. 92–93. を参照のこと。

26 'Las hemos interiorizado como recursos habituales, como si las hubiéran disfrutado desde siempre, como si fueran naturales y no hubieran modificado en absoluto nuestra manera de ejercer la profesión.' Pons, *El desorden digital*, p. 67.

27 これについては、2018年6月に開催されたカンファレンスNegotiating Networks

の多くの論文で言及されている。https://negotiatingnetworksblog.wordpress.com/, (accessed 8 July 2020).

28 たとえば、Bodard, 'Scanning and printing a Greek vase'を参照

29 ヴァレリー・ジョンソンは、2013 年から 2015 年末までだけで、世界の文書数が 60%増加したと試算しています。Thomas et al., *The Silence of the Archive*, p. 74.

30 D'Ignazio and Klein, *Data Feminism*, p. 151.

31 Osterberg, 'Update on the Twitter archive at the Library of Congress'.

32 Schafer et al., 'Paris and Nice terrorist attacks: Exploring Twitter and web archives'.

33 The Internet Archive Wayback Machine, https://archive.org/web/web.php (accessed 8 July 2020).

34 大英図書館の UK Web Archive はこちらで見ることができます。 https://www.bl.uk/collection-guides/uk-web-archive (accessed 8 July 2020).

35 UK Web Archive, https://www.webarchive.org.uk/ukwa/ (accessed 8 July 2020).

36 Brügger and Schroeder, *The Web as History*.

37 Cowls, 'Cultures of the UK web', in Brügger and Schroeder, eds, The Web as History.

38 Bush, 'As we may think'.
〔なお、訳はヴァネヴァー･ブッシュ著、西垣通 訳「われわれが思考するごとく」『思想としてのパソコン』NTT 出版 , 1997, p.86 に従った。〕

39 Licklider, *Libraries of the Future*.

40 Hitchcock, 'Digital affordances for criminal justice history'.

41 *Dictionary of National Biography on CD-ROM*, insert booklet.

42 Cohen, 'From Babel to knowledge'.

43 Putnam, 'The transnational and the text-searchable'.

44 Blair, *Too Much to Know*, p. 7.（邦訳：アン・ブレア著、住本規子、廣田篤彦、正岡和恵訳『情報爆発：初期近代ヨーロッパの情報管理術』中央公論新社、2018 年）

45 Putnam, 'The transnational and the text-searchable'.

46 Zuboff, *The Age of Surveillance Capitalism*.（邦訳：ショシャナ・ズボフ著、野中香方

子訳『監視資本主義：人類の未来を賭けた闘い』東洋経済新報社、2021 年）

47 DuckDuckGo, https://duckduckgo.com (accessed 8 July 2020).

48 Hitchcock, 'Confronting the digital', 14–16.

49 Edgerton, *The Shock of the Old*, p. 11; Raulff, Farewell to the Horse, pp. 1–46.

50 Ayers, 'The pasts and futures of digital history'.

51 Hitchcock, 'Confronting the digital', 11.

52 Darnton, 'A program for reviving the monograph'.

53 Pons, *El desorden digital*, p. 205.

54 'Attention, students: put your laptops away', *NPR Weekend Edition Sunday* (17 April 2016), https://www.npr.org/2016/04/17/474525392/attention-students-put-your-laptops-away (accessed 8 July 2020).

55 Grafton, *Worlds Made by Words*, p. 315.

56 Haggerty and Haggerty, 'The life cycle of a metropolitan business network'.

57 Living with Machines, http://livingwithmachines.ac.uk/ (accessed 8 July 2020).

58 Blaney and Siefring, 'A culture of non-citation'.

59 Ann Blair, 'Afterword', p. 315 in Corens, Peters and Walsham, eds, *Archives and Information in the Early Modern World.*

60 Hitchcock, 'Confronting the digital', 12.

61 Hitchcock, 'Confronting the digital', 14–16.

62 Milligan, 'Illusionary order', 565.

63 Grafton, *The Footnote: A Curious History*, p. 7. 社会の変化が引用の習慣に影響を与えた例としては他に Veyne, *Les grecs, ont-ils cru à leurs mythes?*, pp. 17–24.

64 Grafton, *Worlds Made by Words,* p. 311, 引用は Brown and Duguid, *The Social Life of Information,* pp. 173–174.（邦訳：ジョン・シーリー・ブラウン、ポール・ドゥグッド著、宮本喜一訳『なぜ IT は社会を変えないのか』日本経済新聞社、2002 年）

65 Twycross, 'Virtual restoration and manuscript archaeology', in Greengrass and Hughes, eds, *The Virtual Representation of the Past*, p. 26.

第2章

研究課題を設定する

はじめに

本書はデジタルヒストリーをテーマとしており、それは必然的にデジタル形式で入手可能な一次史料を扱うことを意味します。しかし、「デジタル」といっても、膨大で多様な資料が含まれます。歴史研究者が直面するもっとも明確な違いは、13 世紀の写本や 19 世紀の新聞など物理的なモノの資料からデジタル化された史料と、電子メール、Word 文書、ウェブページなど「ボーンデジタル」と表現される史料との間のものです。史料が機械可読形式になれば、それが当初羊皮紙に書かれたものであっても、あるいはバイナリコードであっても、本書で説明している方法のほとんどを適用できます。しかし、研究を始めるにあたっては、利用するデジタル史料がどのように作成され、どのように利用できるようになったのかを理解することが重要です。物質文化への関心の高まりにより、特に、本や新聞がどのように作られ、流通し、使用されたのかという点に注目が集まっています。デジタル史料を扱う歴史研究者は、その史料がどのように作成されたのか、プラットフォームやインターフェース、編集作業での選択が、可能となる分析の種類にどのような影響を及ぼしているのかについて、同じように理解する必要があります。

本章では、デジタル資料を効果的に研究で利用するために、あらゆる種類の歴史資料がデジタル化されるさまざまな方法と、そのプロセスについてどれほど多くのことを知っておくべきかについて解説します。また、ある特定の一次史料が他の史料に比べてデジタル化されている理由や、どのような隙間や欠落を予想しておくべきかについても説明します。オープンデータの価値と、検索エンジンやプラットフォームに制約される（あるいは誘導される）のではなく、（さまざまなフォーマットの）機械可読テキストに直接アクセスすることで可能となる、さまざまな種類の分析について説明します。本章では、デジタル化された一次史料と、つねにデジタルな形式を採る一次史料の違いについて考察し、テキスト、データ、メタデータの違いについて簡単に説明します。最後に、最終的な目標である「何らかの形での出版」に向けて、いくつかの提案を行います。デジタルプロジェクトにはさまざまな規模がありますが、たとえ小さなプロジェクトであっても、自分が発見したものを書き上げて他の人と共有することを強くお勧めします。出版することが唯一の目標ではないかもしれませんが、研究のごく初期の段階から、目標の 1 つとして念頭に置いておいたほうが良いでしょう。

どのようなデジタル史料があるか？

ほとんどの歴史研究者は、ボーンデジタル史料ではなく、デジタル化された史料を主に使用していると思われます。20 世紀史の研究者は、World Wide Web の登場以降に生じた大規模デジタル化の恩恵をあまり受けてはいません。新聞史料の大規模なデジタル化によって、18、19 世紀史の研究方法は大きく変わりましたが、著作権による制限によって、ほとんどの新聞データベースは 1900 年頃以前しかカバーしていません。[1] コレクションによっては、さらにリスクを回避するためのアプローチを採用しています。たとえば、大英図書館の「文化遺産デジタル化」（Heritage Made Digital）プログラムでは、「140 年ルールを採用していて、1878 年までに新聞の発行が終了していなければならない」としています。[2] この場合、ほとんどの号が著作権切れとなっているにもかかわらず、その新聞全体がデジタル化のプロセスから外されてしまいます。音源や動画が含まれるもう少し後の時代の一次史料では、アクセス条件がさらに制限されていたり、高価な商業パッケージの一部として出版されたり、あるいは全く入手できない可能性が高いものとなっています。

デジタル化とアクセスには、時代や知的財産権の制約以外にも不平等な点があります。ララ・パットナムが述べるように、「デジタル化されたテキストの世界は、過去の人間の生活の時間的・地理的な範囲を表現するものでは決してありません。19世紀と20世紀初頭の英語圏の世界は、デジタル化のグラウンドゼロなのです」。[3] すべての場所と時代において、一次史料の全体がデジタル化されることはありえないでしょうが、中世史や近世史の研究者にとっては、利用できる量が多いため、デジタル資料で主に作業することが可能となっています。

デジタル化は研究を変えることができる―『ハンサード』を例に―

歴史研究は「データ駆動型」でもなければ、技術によって左右されるものでもありません。しかし、存在する史料、その利用形式、そしてアクセスの容易さによって、歴史研究は形作られるものです。たとえば、事実上、英国議会の議事録となった『ハンサード』（Hansard）を例に挙げてみましょう。[4] *Cobbett's Parliamentary Debates* の第1巻（これが出版者トマス・カーソン・ハンサード（Thomas Curson Hansard）の名で知られるようになったものです）は、1804年に出版され、1803年11月22日から1804年3月29日までの期間をカバーしているものです。[5] それ以来、3,000巻以上が刊行され、2世紀にわたって議会、政治、社会を対象とする研究にとって重要な史料としての役割を果たしてきました。『ハンサード』によって、歴史研究者は政治家個人のキャリアを調べたり、特定の議会や政府の研究をしたり、政党の設立やその発展を理解したり、貴族院（上院）や庶民院（下院）で議論された重要な出来事について検討することが可能となりました。ブラウジングと読解には、「膨大な数の目次や人名索引、主題索引、また時に発行された複合索引の巻」[6] が役立ちます。他の参考資料と同じように使うことはできても、『ハンサード』を頭から終わりまで読もうとした人はいなかったでしょう。しかし、2008年に、2004年までの『ハンサード』の全巻、300万ページ以上のデジタル化とオンライン公開を目指したパイロットプロジェクトが開始されました。[7]『ハンサード』の全文がXMLファイルとしてオンラインで公開されただけでなく、それらのファイルをオープンに利用でき、ダウンロードもできるようにしたのです。[8)]XML の扱い方については第 5 章で取り上げます。

歴史研究者やその他の人文学の研究者たちは、デジタル化された『ハンサード』をいち早く利用しはじめ、この豊富なデータセットの持つポテンシャルを存分に活用すべく、多くの新規研究プロジェクトが助成を受けて立ち上げられました。議会チームが開発したオンラインインターフェースはかなり原始的なものでしたが、データがオープンであったために、研究者はダウンロードして、操作、改良したりすることができ、また、改良したデータを他の研究者が再利用したり、あるいはさらに再開発したりすることができるようになったのです。「議会演説」プロジェクト（The Parliamentary Discourse project）では、750 万件以上のテキスト（約 4 万人の各演説者）からなるコーパスを作成し、言語研究のための『ハンサード』をオープンにしました。そして今度は、サミュエルズ・プロジェクト（Samuels project）によってこのコーパスはさらに改良が加えられ、『英語歴史シソーラス』（*Historical Thesaurus of English*）を利用して、コーパス内のすべての単語に文脈上の意味を示すタグが付けられたのです。[9)] Linking Parliamentary Records through Metadata プロジェクトでは、『ハンサード』に記載されているすべての人物、法案、決議、議事、討論、表決、会期を記述する統一的なメタデータスキーマを作成し、特定の議員のすべての演説を検索したり、議会での法令通過の過程を追跡できるようにしました。[10)] この成果がさらに Digging into Linked Parliamentary Data プロジェクトへの道を開きました。このプロジェクトによって、研究者がカナダ、オランダ、そして英国の議会会議録を横断検索し、特定の発言者や政党に関連する用語や概念を時系列で調べることができるようにするインターフェースを開発することに繋がったのです。[11)]

これまでの成果の上に、より大規模なものを作ったり、別のデジタルリソースに接続させたりする、この繰り返しのパターンは、デジタルヒストリーでは一般的です。この例では、『ハンサード』をデジタル化しようと決定を下したことから、相互に利用し、そして結びつく一連のプロジェクトを生み出したのであり、近代英国における議会での討論や演説について知りうることを総合的に変化させていったのです。

波及はそれだけではありません。『ハンサード』が定期的にオンラインで公開されはじめたことで、誰もが「議員の発言を 3 時間以内に見ることができる」ようになり、最初にデジタル化された『ハンサード』のインターフェースよりもはるかに使いやすいプラットフォーム上で、歴史的資料と現代の資料を一緒に扱うことができるようになったのです。[12)]『ハンサード』の全文を検索したり、会期をブラウジングしたり、表決や討論、議員を見つけたりすることが可能になりました。この新しいプラットフォームは、現在もオンラインで提供されている歴史コンテンツ用の別個のインターフェースよりも、研究者にとってははるかに使いやすく、XML を扱う経験も必要がないものです。しかし、このプラットフォームでできることは限られており、データを直接ダウンロードして操作できる場合に可能となる、ある種のデータリンクや実験的な分析をサポートするものではありません。

デジタルデータを扱う際には、ハンサード・オンライン（Hansard Online）のようなプラットフォームを利用するのがほとんどでしょう。これを使えば関連性の高い検索結果をすぐに得ることができます。しかし、それは自由な操作、そして必然的に自分の洞察力というものを犠牲にしていることになるのです。自分が何を検索したり閲覧したりしているのか、編集者や開発担当者、その他のプロジェクトスタッフがどのような選択をし、その結果、何を検索できるかをあらかじめ決めてしまっているかを、正確に把握することは必ずしも容易なことではありません。

歴史研究者がこのデータベースを利用する際に注意すべき重要な点をハンサード・オンラインのチームが強調したのは、称賛に値するものと言えます。それは、デジタル化された資料とボーンデジタルデータが混在しているということです。このことは、シンプルな検索ボックスにキーワードを入力したときに得られる検索結果の質、そして種類にさえ直接影響するものです。現代の『ハンサード』の本文は、オンライン出版のために特別に作成された、作成段階ですでにデジタルなもの〔ボーンデジタル〕です。これには、特別に作られたメタデータがあり、たとえば、ひとりひとりの議員のすべての情報を検索して照合することができます。歴史資料にはこのようなメタデータが存在しないだけでなく、その資料がデジタル化された方法によっては、検索結果が後の時代のコンテンツほど正確で包括的なものとはならないのです。「このウェブサイトについて」のページには、「上下院の議会資料で欠けている巻が複数あることを承知しております。…2005年から2006年にかけての史料をお探しの場合は、以前のウェブサイトからアクセスできるかもしれません」とあります。[13] 多くのユーザは、まっすぐキーワード検索に向かい、説明文には近づかないため、このような重要な文脈があることには気づかないものです。『ハンサード』やその他のデジタル史料を扱う際には、その史料の特徴や限界を把握することがきわめて重要なことなのです。

「デジタル化された」とは何を意味するのか？

デジタル史料の研究利用を考えるとき、デジタル化されたかどうかを知るだけでは不十分です。デジタル化というのは、オンラインリソース同士、あるいはそのオンラインリソースの中でも、意味が大きく異なります。何をどのようにデジタル化するかは、多くの場合、予算とコストに直結するものです。もっとも簡単で安価な方法は、写本や本、新聞などの各ページをスキャンしてデジタル・ファクシミリ版を作成することです。これは、Anglo-American Legal Traditionというウェブサイトが採用しているモデルで、2015年8月時点で、英国国立公文書館（TNA）に所蔵されているリチャード1世（在位1189-99年）からヴィクトリア女王（在位1837-1901）までの期間の法律文書925万「コマ」をオンラインで公開しています。[14] デジタル化されたこれらの文書に世界中のどこからでもアクセスできることの利点は、いくら強調してもし過ぎることはありませんが、その利用方法は、英国国立公文書館の閲覧室で物理的な文書を扱う場合とほとんど変わりません。文書を検索することはできず、ナビゲーションは記録資料のシリーズ単位で構造化されたサムネイル画像によるものとなっています。画像の品質にはばらつきがありますが、ある程度の拡大（ズーム）が可能であり、また、便利です。ロンドンの文書館に所蔵されている写本を、ダーラムやニューヨークあるいは東京にある自宅からじっくり読むことができるのは革新的と言えるでしょう。

Anglo-American Legal Traditionのようなリソースにアクセスしてうまく利用するには、あらかじめ原資料とその目録がどのように作成されたのかついて詳しい知識を持っている人でなければなりません。利用するには高度なデジタルスキルは必要ありませんが、資料全体の正確な把握もまたできません。そのため、可能な研究の種類というものを制限してしまいます。しかし、デジタル化によって、人間が読めるだけでなく機械が読めるテキストが作成され、検索やその他の定量分析が可能になると、その制限も乗り越えることができるでしょう。

この機械可読なテキストを生成するにはいくつかの方法がありますが、先ほど述べたように、たとえすぐには気づかなくとも、その選択は特定のデータベースをどのように利用するかということに影響を与えることになります。次の章では、光学式文字認識（OCR）を使用して生成されたテキストと、そこからさらに人手をかけて校正されたテキストとの違いについて説明し、後者の方が前者よりもはるかに正確であることを強調します。しかし、実際に検索しているテキストにどれだけの誤りがあるのかを判断するのは非常に難しいことです。そのようなものは、綺麗な複製画像の陰に隠れてしまうものですから。

詳細な情報を得ることは非常に困難ですが、史料によっては実際に使われたデジタル化の方法に言及しているだけでなく、検索結果を評価するのに役立つ統計情報を提供している事例もあります。たとえば、British History Onlineには、テキストは二人の作業者によって作成されていると書かれていますが、これは「二人のタイピストがスキャンされたページをもとにそれぞれ別々にテキストを入力し、それぞれで作成されたテキストデータを比較して、相違点があれば手作業で修正する」ということです。この結果、原文と比較して99.995％以上の精度をもつテキストが得られています。つまり、間違いは2

万字に1文字しかないということです。

デジタル史料の大多数はOCRを利用していることを公表しているかもしれませんが、通常はそれ以上の情報は明らかにされていません。成熟したデジタル史料では特に、デジタル化の方法がその時点で十分に詳細な形で記録されていない場合が多くあります。データセットの限界を明らかにするには、追加調査がしばしば必要になります。たとえば2009年、ターナーらは、大英図書館の19世紀新聞プロジェクトでデジタル化された資料の文字精度は83.6%、単語精度は78%、大文字で始まる単語の精度は63.4%であることを示しました。つまり、100文字中16.4文字が間違って表記され、100単語中22単語に間違いが含まれていたということです。また、歴史研究者がもっとも関心を寄せて調べる人名や地名については、さらに状況が悪く、100単語中36.6単語に誤りがあり、検索での発見が難しいことが示されました。[15)]

OCRの精度は1つのデータセットの中でも一貫性がない可能性があり、たとえば特定の名前や単語、語句の頻度を時系列で比較する場合には深刻な影響をもたらすことをよく考えておく必要があります。これは、何年もかけて追加されてきたデジタル史料や段階的に開発されてきたデジタル史料に当てはまるケースが多いです。OCR技術は、その登場以降、非常に進歩しており、一般的にデジタル史料が古ければ古いほど、その正確さは低くなる傾向にあります。同様に、「新聞が古ければ古いほど、精度が低くなり、一般的に新聞は書籍や雑誌よりも精度が低い」とされています。[16)] OCRテキストは、書籍、パンフレット、または新聞のスキャンされたページから生成されているかもしれませんし、その間にマイクロフィルム化された段階があったかもしれません。あるいは、これらの両方の方法が組み合わされて使用されているかもしれません。デジタル史料の作成にあたって下されたこれらの決定は、デジタル史料を検索する際に何ができるか、何を見つけることができるかということに影響を及ぼすものです。

もうひとつ考慮すべき点は、デジタル史料の範囲、あるいはその包括性です。この新聞、この書籍、あるいはこの写本のセットはどれほど代表的なものなのでしょうか？　そこに何が含まれていて、何が除外されているのか、そしてその理由は何なのか、簡単にわかるものでしょうか？　Old Bailey Proceedings Online は、「1674 年から 1913 年までの現存するすべての Old Bailey Proceedings と、1676 年から 1772 年までの Ordinary of Newgate's Accounts の、フル検索可能なデジタル化コレクション」を提供するものであると明確に述べています。[17] Old Bailey〔ロンドン刑事裁判所のこと〕の記録に興味があれば、これ以外を探す必要はありません。対照的に、なぜ British History Online では Staffordshire Historical Collection の第 4 巻、第 5 巻（第 1 部)、第 6 巻（第 1 部)、第 7 巻（第 1 部)、第 10 巻（第 1 部)、そして、第 11 巻しかデジタル化されていないのでしょうか。[18] 大英図書館の新聞コレクションには「ヴィクトリア朝時代の英国の全国紙および地域紙のもっとも包括的なコレクション」が含まれています[19]。大英図書館の最近の「文化遺産デジタル化」プログラム（Heritage Made Digital programme）では別の基準を用いています。このプログラムでは、「これまでオンラインで提供されたことのない、またはオンラインコレクションの中であまり評価されていないコレクションの一部をデジタル化する」ことを目的としています。[20] このプログラムに関するブログ記事では、「状態の悪い新聞に集中することにした」「著作権の切れた新聞のみをデジタル化する」「ロンドンで発行された新聞を主にデジタル化するが、ロンドン外で流通した新聞もデジタル化する」などの要素が考慮されていることが示されています。[21] 文化遺産機関が所蔵品のすべてをデジタル化する時間も資金もない以上、この種の決定はなされなければなりません。しかし、すべてのキュレーターの選択と同様に、これらの決定は、歴史研究者が現在および将来にわたって何にアクセスできるかを決定するものです。さきほどと同じブログ記事では次のように指摘されています。「大英図書館には、1619 年から現在までの 6,000 万点の新聞があることを忘れてはいけません。10 年以上の集中的な作業によっても、私たちがデジタル化したのはわずか 5％です。まだまだ先は長いのです」。[22]

これまでは、主に 18 世紀以降の印刷物のデジタル化について考えてきました。しかし、中世の写本や初期刊本、17 世紀の手書きの科学論文や 19 世紀の通信文などを研究対象とする場合はどうでしょうか。OCR が印刷資料を対象に高い誤認識率を発生させるとしたら、他の種類の一次史料をデジタル化して扱う場合にどのような選択肢があるでしょうか。手書き文字認識技術が急速に進歩するまでは、手間と時間のかかる手作業での翻刻作業しか選択肢はありませんでした。多くの歴史研究者は、標準的なワープロソフトを使用して、自分の史料をデジタル化しなければならない状況に置かれていることでしょう。これは、個人研究を下支えする、ほとんど表に出てこない作業で、他の人が利用できるようになることはほとんどありません。デジタル化のもうひとつの一般的な方法は、図書館や文書館で、通常は携帯電話を使って写真を撮るというものです。利用したい資料が決まっているのであれば、閲覧室で何週間も何ヶ月もかけてテキストを書き写すよりも、文書館で数日かけて写真を撮る方がはるかに有意義です。歴史学の実践におけるこのような変化が Tropy のようなツールの開発につながりました。Tropy は、研究写真を整理して記録することができ、「文書史料を見つけてからそれについて書くまでの道のりを短縮する」ことを可能にしたものです。[23)]

デジタルプロジェクトの中には、画像化や手作業による高品質な翻刻、および／あるいは、翻訳の作業を行うために、少人数の研究者チームを採用しているものもあります。これは特に比較的小さい規模の一次史料を扱う場合に当てはまります。Henry III Fine Rolls プロジェクトは、このアプローチの良い事例です。[24)] ファイン・ロール（fine rolls）とは、中世イングランド国家の財務記録の一部であり、結婚や財産を含む広範な権利に対する見返りとして王室に約束した支払料を記録しているものです。ファイン・ロールの索引作成は、プロジェクトが 1216 年から 72 年までの一人の王の治世に範囲を限定していたために可能でした。このプロジェクトのおかげで、歴史研究者はこの時代について、他の中世君主の治世に比べてはるかに詳細な分析を行い、さまざまな問いを立てることができるようになりました。しかし、その限界は明らかです。たとえば、この一部分にすぎないファイン・ロールで言及のあった人的つながりを追跡することは可能ですが、そのつながりが1272年以降にどのように広がっていったかは分からないのです。これを明らかにするには、より大規模で、時間幅の長いデータセットが必要であり、そのためには同様の方法で翻訳して整える必要があります。限られた期間しか資金を得られないことが多い少人数の研究者の仕事では大規模化は難しいのです。

前近代史料や非印刷資料をデジタル化する新しい方法の背景には、この規模という問題があります。21世紀の最初の10年間に、Web 2.0を特徴づけるインタラクティブな技術と行動様式が、アカデミックな研究者や記憶機関〔図書館、文書館、博物館・美術館などのこと〕によって活用され始め、文化遺産のデジタル化に協力できる人の数と種類が拡がることになりました。クラウドソーシングという言葉が登場したのです。[25)]

『人文学におけるアカデミッククラウドソーシング』(*Academic Crowdsourcing in the Humanities*)の著者であるスチュアート・ダン(Stuart Dunn)とマーク・ヘッジス（Mark Hedges）は、学術的な人文学研究において使用されているクラウドソーシングの類型を、アセットタイプ、プロセスタイプ、タスクタイプ、アウトプットタイプという4つに整理しています。彼らの考えによると、「**プロセス**とは一連の**タスク**であり…**アウトプット**は**アセット**を操作することで生み出される」（強調は原文による）といいます。そのプロセスには、共同タグ付け、リンキング、マッピング、翻訳、カテゴリー化といった多様な活動が幅広く含まれていますが、デジタル化においてもっとも広く使用されているのが翻刻であることは間違いありません。[26)] 翻刻作業では、OCRで生成されたテキストを修正することもあります。先に挙げた新聞資料のOCRに関連する問題には、オーストラリア国立図書館のTrove Newspapersプロジェクトが、このクラウドソーシングという方法で取り組みました。[27)] OCRテキストデータがページ画像と一緒に表示され、ユーザはタイプミスの修正や欠落したテキストの追加などに取り組みます。これにより、歴史研究者が研究で利用するテキストコーパスがより正確なものになっただけでなく、デジタル化のプロセス自体にも光が当てられるようになりました。たとえば、ユーザはイタリック体は通常の文字よりも誤認識率が高いとか､行末のハイフンが問題になりがちだとか､そういったことが見えてくるようになったのです｡このような知識は､インターフェースの背後に隠れているテキストを検索する際に、何に気をつければ良いかを考える上で非常に有益なものです。協同という思想、つまり、デジタル化一次史料をより分析しやすくするために人々が協力するという思想は、Troveのウェブサイトで明確に認めることができます。曰く、「Troveはあなたのものです。あなたがテキストを修正したり、コメントをつけたり、タグをつけたり、コンテンツを提供することで、皆のためにより良いサービスを構築することができるのです」。[28)]

デジタル複製資料を検索可能なテキストに変えるために、クラウドソーシングの手法を採用したプロジェクトは他にもたくさんあります｡たとえば､ニューヨーク公共図書館では、この方法を用いて、歴史的なレストランのメニューの翻刻を行いました。本書執筆時点で、17,500以上のメニューから130万件以上の料理が翻刻されており、食や文化、消費を扱う歴史研究者にとっては非常に貴重な資料となっています。[29)] 英国国立公文書館と帝国戦争博物館は、クラウドソーシングプラットフォームであるZooniverseと共同で、第一次世界大戦の西部戦線での従軍日誌の翻刻と注釈付けをボランティアで行うOperation War Diaryを実施しました。[30)]

この種の取り組みでは、自館のコレクションをより広くそしてよりさまざまな利用者へ届けようとするために、図書館や文書館が主導権を握ることが多いのですが、大学の研究プロジェクトでも史料をデジタル化する手段としてクラウドソーシングが採用されています。もっとも早い段階で始められたものの1つが、2010年に開始されたユニバーシティ・カレッジ・ロンドンのTranscribe Benthamプロジェクトです。現在までに、ベンサムの史料のうち2万ページ以上が翻刻され、これは全コレクションのほぼ半分に相当します。

Transcribe Benthamプロジェクトは、READ（アーカイブ資料の理解と促進（Recognition and Enhancement of Archival Documents）を意味する[31)]）という、また別の、デジタル化のための非常に有望なイニシアチブに直結しているものです。このプロジェクトは、これまで定量分析の埒外に置かれていた複雑な手書き資料のデジタル化を実現する可能性を秘めています。ベンサムの手書き文書は、このプロジェクトで使用されている手書き文字認識（HTR）技術の開発とテストのためにデジタル化された一次史料の1つです。ベンサムの書簡や書類のデジタル画像と、クラウドソーシングで寄せられた翻刻テキストは、Transkribusプラットフォームのトレーニングデータとして使用されました。[32] その結果、このプラットフォームを使って、「ベンサムの手書き文字を平均文字誤認識率わずか9%で認識することができた（つまり、91%の文字が機械によって正しく翻刻されたことになる）」[33] という成功を収めたのです。OCRについての以前の議論を思い出していただければ、これは大英図書館の新聞プロジェクトで達成された誤認識率よりも低いものです。翻刻でこの正確さを獲得するのは簡単で平坦な道のりではなく、HTRで使用されている**ニューラルネットワーク**は、どこで何が問題になっているのかを人間が確認し、時間をかけてトレーニングを繰り返す必要がありました。しかし、この技術は日々進歩しています。HTR技術はOCR技術とほぼ同じ道を辿ると思われ、徐々に発展し、ある種の書体や手書き文書には他よりも適しているということが明らかになってきましたが、HTRはこれまでアクセスできなかった一次史料の利用方法にすでに変革をもたらしているのです。しかしながら、OCRとの比較が正しければ、近い将来、歴史研究者は隠された精度という同じ問題、つまり、時期が異なるデジタル化の結果に差があることやデジタル化の優先順位がもたらす制約に直面することになるでしょう。それまでは、「75ページ程度のデジタル化画像をプラットフォームにアップロードし、各ページを可能な限り完全に翻刻することで、誰でもTranskribusでテストプロジェクトを始めることができるのです」。[34]

自分が研究したい史料を誰もデジタル化してくれそうにない場合は、ご自分でデジタル化することで、できそうな研究の種類を変えてみてはいかがでしょうか。

デジタルデータへのアクセス

すべてのデジタルデータが同じように作られているわけではありませんし、デジタル化された一次史料やボーンデジタルな一次史料にアクセスする際には、同様の不平等さがあります。扱いたい資料がデジタル形式で利用できるのであれば、一般的には、検索やブラウジングが可能なインターフェースを使って探索することができます。多くのデジタルリソースを特徴づける単一の検索ボックスについてはすでに論じましたが、そこにはより高度なフィルタリングや検索オプションの設定ができるようになっています。たとえば、Old Bailey Online を見てみましょう。ホームページにあるユーザ向けのデフォルトの設定はキーワード検索です。検索結果は、デジタル化されたデータセット全体を検索したいのか、あるいは、その中の一部、もしくは、特定のテキスト（レファレンスナンバーで識別される）を検索したいのかを指定することで、フィルタリングすることができます。しかし、専用の検索ページでは、「名字、犯罪、刑罰を含むタグ付けされた情報のクエリとキーワード検索を組み合わせる」[35] ことが可能です。これにより、原史料の特徴と、その史料に含まれる情報がデジタル化の過程でどのように**マークアップ**されたかの両方について、より深い洞察をすぐに得ることができます（マークアップとテキストがマークアップされることの意味については、第5章で解説します）。キーワード検索だけでなく、特定の重要な条件の組み合わせによって検索を支援するという編集上の決定がなされています。これにより、検索クエリの柔軟性を高めることにつながりますが、その可能性は無限というわけではありません。

検索用のインターフェースは中身の調査と探索を可能にします。しかしそれだけではなく、問いかけうるその問いの種類も必然的に制限してしまいます。それらの制限はその主題の専門家によって決められたものですが、それでもやはり制限なのです。Old Bailey Online の開発チームが、データをどのように利用するかを自分で決められる API（アプリケーション・プログラミング・インターフェース）を開発したのは、まさにこのためでした。[36] API の操作は簡単ではありませんが、API のデモ用モデルと開発者向けの解説文書が用意されており、また、データの一部をエクスポートして、他のツールや方法でそれを扱うことができるようにする機能もあります。Old Bailey Online は、専門家も、そして専門家でなくともアクセスできるように作られたデジタルリソースの良い事例といえるでしょう。

その対極には、企業が時に図書館や文書館と協力することで作成したデジタルリソースというものもあります。Ancestry コーパスの起源については第1章で取り上げましたが、現在ではそれがデジタル化された史料の一大コレクションとなっており、国のさまざまなウェブサイトからアクセスができるようになっています。Ancestry の英国版プラットフォームでは検索オプションが非常に幅広く提供されていますが、データセット全体の長期的な分析を行うよりも、個々の記録を探すことのほうに重点が置かれています。利用料金を支払うことで、1つまたはセットになった記録の閲覧とダウンロードができます。しかし、個人の研究者としてデータを持ち出すことはできません。[37)] ですが、このような方法でデータへのアクセスを制限しているのは、なにも商用プラットフォームだけではないのです。たとえば British History Online では、サイトユーザ向けに次のような案内を掲載しています。「本サイトでは、許可なく複数行にわたるコンテンツを持ち出すことをご遠慮いただいております。もし大量のテキストを利用されたい場合は、私たちに直接ご連絡ください。必ずしもテキストの複製を許可しているわけではありませんので、あらかじめご了承ください」。[38)] この種の制限は、多くの場合、著作権に関する懸念が根底にあり、この制限によって可能な研究の種類というものが左右されてしまうのです。

多くのデジタルプロジェクトでは、データを可能な限りオープンにするよう努めており、API も介さずに情報をダウンロードすることができる場合もあるでしょう。ダウンロード可能なデータにはいくつかのフォーマットがあり、それによって利用の仕方も変わってきます。もっともシンプルなのはカンマ区切り値（CSV）ファイルで、「プレーンテキスト」の形式で表データを格納します。CSV は非構造化テキストには適していません。CSV ファイルは、Excel や Google スプレッドシートなどの標準的なプログラムで開くことができるので、これを扱うのに特別なプログラミングスキルは必要ありません。また、JSON（JavaScript Object Notation）形式のデータをダウンロードする機会もあるでしょう。これは「軽量のデータ交換フォーマット」で、「人間が読み書きしやすいものであり、機械も解析と生成が簡単なもの」です。[39]『ハンサード』（Historical Hansard）のウェブサイトでは、複数のダウンロードオプションがあり、そこにはJSONも含まれています。さらに、このウェブサイトによると、人物のURLに .js を追加するだけで、その人物の情報をJSONで出力することができるとあります。[40] CSVからJSONへの変換、あるいはJSONからCSVへの変換も簡単にできますが、Excelのようなプログラムで JSONファイルを開く場合は、エラーが発生する可能性があるので注意が必要です（これについては第7章で解説します）。多くのデジタルプロジェクトでは、テキストをXMLでエンコーディングしていますが、これはJSONと同様、人間にも機械にも可読性のあるものです。著作権が問題にならない場合は、XML形式でデジタルコーパスのフルテキストを公開することもあります。2015年1月1日に、Early English Books Online Text Creation Partnership（EEBO-TCP）は、25,000点の翻刻済みテキストを、XMLだけでなくHTMLとePUB（電子書籍形式）形式でもオープンライセンスの下で公開しました。[41] ファイルはGitHubやOxford University Research Archiveから、誰でもダウンロードできるようになったのです。[42] テキストを主な対象とする多くのデジタルヒストリープロジェクトと同様に、XMLは国際的に認められた規格であるTEI（Text Encoding Initiative）に準拠しています。すなわち、異なる史料のXMLファイルであっても、TEI-XMLに準拠したマークアップであればそれらをリンクさせることができるということです。たとえば、同じ人物に関する情報が異なるファイルに含まれているかどうかを発見できるのです。これらのフォーマット、特にXMLについては、第5章でより詳しく解説し、より高度な扱い方を紹介します。

RDF（リソース記述フレームワーク／Resource Description Framework）を利用したデータに遭遇することもあるでしょう。RDFは抽象的なデータモデルであって、フォーマットとしてどのように表現するかは問われません（この表現を技術的には「シリアライゼーション」と呼びます）。つまり、これまで取り上げたフォーマット、特にXML形式のRDFデータもありうるということです。RDFでは、すべてを「トリプル」に分割します。トリプルとは、主語、目的語、述語という3つの要素からなるグループです。述語は、主語と目的語の間の関係を記述します。

"Eliza King" residentOf "Balls Pond Road"

これだけでは大したことはありません。しかし、これがボールズ・ポンド・ロード（Balls Pond Road）に関する他の何千ものトリプルや、ロンドンの通りに関する何百万ものトリプルと結びつくと、この一部のトリプルの総体を上回る強力な情報源になることがお分かりいただけると思います。RDFは大規模な作業を想定しており、クエリを実行するには専門のツールが必要です。そのため、軽い気持ちでご自身のデータでRDFを始めるのはお勧めしません。[43)]

重要なのは、データがどのようなフォーマットで提供されているかにかかわらず、自分のコンピュータで自分のツールを使ってデータを扱うことができれば、選択肢が一気に増えるということです。実験もできるし、さらに重要なのは、失敗してもまたやり直せるということです。正しい方法を見つけるには試行錯誤が必要ですが、小規模なサンプルデータで試したり、複数の異なるツールや方法を組み合わせたりできれば、それもより容易なものになります。自分のデータや研究プロセスをオープンにすることで、他の研究者の助けにもなります。当面は、実験的な研究に結びついていない歴史データはまだたくさんありますが、研究や出版のオープン化が進めば、この状況も改善されるでしょう。テキストマイニングやデータマイニングに対する著作権の適用除外化は、新しくデジタル化された資料だけでなく、これまで比較的閉鎖的だったデータへのアクセスの可能性をも広げることになるでしょう。

ボーンデジタル史料を利用する

歴史研究者の中には、とりわけ電子メールやウェブ、ソーシャルメディアの誕生から時間が経過するにつれ、ボーンデジタルな一次史料を扱いたいと考える人もいるでしょう。印刷された簿冊ではなく文書サーバーが文書館に入ってくるようになり、すでに大英図書館などではハイブリッドアーカイブズ（アナログとデジタルの両方の資料を含むもの）として知られる事例が登場しています。[44] ボーンデジタルな資料は、正確性や検索可能性といった点で、デジタル化された史料と同じ課題があるわけでもありませんが、だからといって簡単に利用できるわけではありません。効果的に利用できるようになる前に、ボーンデジタルなアーカイブがどのように作られたのかを理解すること、そして、仮にデジタル化された史料では情報管理が不十分だとしたら、ボーンデジタルコレクションの大部分ではそのようなものがほとんど存在しないということを理解するのが重要です。これは規模の問題でもあります。大英図書館は6,000万点の新聞資料を所蔵していますが、同じく大英図書館を拠点とするUK Web Archiveは、数十億点のウェブページ、画像、動画、PDFなどを毎年収集しているのです。[45] このような大量の情報は、有意義な形で、カタロギングされたり詳細が記述されたりすることがまだ不可能であり、歴史研究者はいまだにキーワード検索や偶然任せの質的分析に頼らざるを得ません。このことは、問いとして立てることのできるリサーチクエスチョンの種類に大きな影響を与えるものであり、テラバイト級のデータ探索に必要となる高性能なコンピュータ設備へのアクセスがほとんどの歴史研究者にはできないことと同じです。

何をデジタル化するかを決めるのは、専門のアーキビストや図書館員、あるいはマーケットの隙間に目をつけた出版社など、一般的には人が行うものですが、大規模なボーンデジタルアーカイブの中には、ほとんどすべてがアルゴリズムによって作られているものもあります。たとえば、UK Web Archiveは、「少なくとも年に一度、英国のウェブサイトを自動収集（通称「クロール」として知られる）」[46] した結果、作成されたものです。クローラープログラムは、最初にURLのリストを与えられ、それをもとに他のリンクを探していくという作業を行います。その結果、クローラーがさまざまな経路をたどって見つけた、いろいろな種類のメディアや同一のウェブページの複数のコピーが含まれた、巨大で雑然としたデータセットができあがります。

アルゴリズムは客観性に欠けるという残念な評価があり、またアルゴリズムを作った本人にとってもアルゴリズムは不透明なものですが、アルゴリズムは価値判断から免れているというものでもなく、また、免れられないものです。アルゴリズムには、作成者の目的、想定、そして偏見が反映されており、「数学に埋め込まれた意見」[47]なのです。アルゴリズムで作られたデジタルアーカイブは、他のアーカイブと同じように、しっかりと検証されなければなりません。

ボーンデジタル史料には重複がつきものですが、これが定量分析を著しく困難にしています。ジョージ・W・ブッシュ大統領図書館に保管されている106通の電子メールのサンプルセットでは、「落ちこぼれ防止法」（No Child Left Behind Act）（2001年）という1つのトピックを扱っていますが、一意のコンテンツは23通のみで、残りの83通は重複したものでした。[48]　このような重複があると、時系列でトレンド分析することが非常に困難になります。というのも、深く調査するに値する歴史的な現象を発見しているのか、それとも単に収集プロセスの気まぐれや基盤技術の構造によって歪められた現象を捉えているのか、必ずしも見分けることができないからです。

ボーンデジタルアーカイブは、最終的に確定されたものではないために、たとえばデータ保護の理由から突然コンテンツへアクセスできなくなったり、法的資格の変更や技術的制限の緩和によって、研究終了後に新資料が追加されたりする可能性があるなど、研究者にさまざまな問題を引きおこすものです。ボーンデジタルアーカイブを扱う際には、一次史料を参照した日付が新たに重要なものとなりました。自分が確認したときに存在していた情報だけははっきりと述べることができますが、4か月後に同じアーカイブを調べた別の歴史研究者が確認した内容とは異なる場合もありえるのです。大規模で不均一なボーンデジタルアーカイブを扱うための新しいツールや手法はつねに登場していますが、当面は、課題と限界を明確に意識した上で、慎重に取り組むことが望ましいと考えられます。ボーンデジタルアーカイブは、歴史研究にとって多大な可能性を秘めており、多くの場合、家庭にあるアナログな史料に急速に取って代わりつつあります。ですが、私たちはまだその可能性の扉を開き始めたばかりなのです。[49]

テキスト、データ、メタデータ

すでに論じたように、ほとんどの歴史研究者は、音声や静止画／動画よりむしろ、デジタルテキストをさらに扱うことになるでしょう。ここでは「テキスト」と「データ」をほぼ同じ意味で使用していますが、デジタル化とボーンデジタル史料の登場により、「テキストにエンコードされた情報は、伝統的に研究で使用されてきた、構造化されたデータの種類を豊かに補完するものである」からです。[50] データ、すなわちテキストは、本書で説明する方法によって調査と操作が可能です。しかし、テキスト自体にアクセスできなかったり、簡単には分析できない場合であっても、メタデータがあれば情報を構造化し、意味を導き出すことが可能です。『オックスフォード英語辞典』（*OED*）は、メタデータを「他のデータに関する情報を記述・提供することを目的としたデータである」と定義しています。[51] メタデータは、デジタル世界をナビゲートし、データを理解し、構造化し、そして共有するための重要な手段です。あなたがコンピュータ上でファイルを作成するたびに、ファイルに付ける名前から自動的に生成される日時や著者名などの情報に至るまで、メタデータを作成しています。[52] これらの情報は後でファイルを探すときや、慎重にファイル名を付ければそのファイルに何が含まれているかを知るのに役立ちます。時間と日付の情報は、最新のバージョンを探したり、履歴を確認するのに使えます。

たとえば、機械可読なテキストではなく複製画像のみを公開しているデジタルリソースのように、データ自体を検索できない場合でもメタデータを利用することで必要なものをいくらかは見つけることができます。1998 年に EEBO

が開設されたとき、1700年以前に英語で印刷された13万点以上の資料のテキストデータを作成可能な技術的選択肢はありませんでした。[53] そこで新しく構築された方法によって、ユーザはタイトル、著者名、日付、主題キーワード、原本の出版国を含む書誌メタデータを検索することが可能となりました。このようなアクセス方法は、図書館や文書館でデジタルな目録を利用したことがある人にはおなじみのものでしょう。この例ではメタデータはナビゲーションや発見、整理のための方法として機能していますが、状況次第でメタデータが研究対象そのものになることもありえます。それはウェブアーカイブのケースであり、著作権上の理由からアクセスができなかったり、あるいは単に歴史研究者が扱うには大きすぎたりするためです。ウェブアーカイブの広大さに直面して、イアン・ミリガンは、「本能から ... まっすぐコンテンツに向かうかもしれないが、より実りある歴史学的情報はメタデータの中に見つけることができる」[54] と論じています。メタデータだけを利用することで、ファイルフォーマットを研究したり、ウェブサイト間のリンクや接続を再構築したり、オンラインでの情報の流れを追跡することが可能になります。たとえデータ自体に問題があったり、一般公開されていなかったとしても、広範かつ／あるいは高品質なメタデータの存在は、可能な研究の種類を変えることができるのです。

研究成果発表

個人研究であれ本格的な研究助成金を受けたプロジェクトであれ、大仕事の最初の段階で研究内容を世界に伝える手段を確立する必要があります。これは純粋な利他主義ではありません。同じような研究をしている人からアドバイスをもらったり、共同研究の申し出を受けたり、技術的な問題で助けてもらったりできるかもしれないからです。これらの理由から、自分の研究成果を成功体験としてではなく、正直に公表することが大切です。

進捗に合わせてプロジェクトの情報発信をする場合は、前もって誰が何を担当するのかを決めておくことをお勧めします。Twitter や Facebook を始めるのであれば、何をどのくらいの頻度で投稿するのかということです。「二人で分担してやっていこう」という漠然とした計画でうまくいくこともあるかもしれませんが、しっかりしたスケジュールがあったほうが成功する可能性が高くなります。しっかりしたスケジュールがあると、大変な仕事だと感じるでしょう。それが良いのです。プロジェクトにおけるコミュニケーションは、付加的なものではなく、きちんとした仕事の一部であり、時間のかかるものと考えるべきです。投稿の頻度を少なくすることもできますが、他のことで忙しいときでも書かなければならないこともあるでしょう。そのようなときは、もしスケジュールに入っていなければ、優先されないのです。

筆者の経験上、期間限定のプロジェクトのために Twitter や Instagram のアカウントを始めるのは、あまり良いアイデアとは言えません。プロジェクトが終了すると、アカウントは休眠状態になったり、削除しなければならなくなったりして、そのプロジェクトと連絡が取りにくくなります。可能であれば、既存のアカウントを使って、プロジェクト用のハッシュタグをつける方が良いです。組織のアカウントが理想的ですが、新たにアカウントを開設する必要があるかもしれませんが個人アカウントでも構いません。もちろん、そのプロジェクトを残りの研究者生活で続けるつもりであれば、Twitter を続けることは縛りにはならないので、Twitter を始めることに何も躊躇する必要もありません。

ソーシャルメディアが苦手な人は、プロジェクトのためにブログを始めた方がいいかもしれません（もちろん両方やっても構いません）。コメントを管理するのは大変ですが、コメント機能は有効にしてください。コメント公開前の事前チェックをするかしないかはあなた次第ですが、ブログ記事に大量のスパムがあると、ブログがプロジェクトの荒れた前庭のようになってしまいます。

正式な成果発表は、通常、プロジェクトの最後の仕事ですが、方法論を共有することもできます。本当に時間がないときは、「このプロジェクトをいつか書いてみようかな」と思いつつ、次の研究に移ろうとするかもしれません。ですが、この種の誘惑にはぜひ抗ってみてください。それというのも、このような成果発信は、それ自体が歴史研究への重要な貢献であるだけでなく、他の人々があなたのプロジェクトを発見し、そこから学び、おそらくあなたのデータをさらなる研究に使用するための手段ともなるからです。共同研究を進めている場合は、プロジェクトの早い段階で、成果をまとめるプロセスについて話し合っておく必要があります。誰が何について書くのか、誰の名前を載せるのか、ということです。実際に一緒に執筆する場合は、名前の順番を決めて、全員が一緒に作業するために必要なプロセスやツールについて合意しておく必要があります。たとえば、ある人がWordで書き、別の人がLaTeX（自然科学や社会科学の研究者がよく使っているもの）で書きたいとしたら、それは揉める原因になりかねません。あるいは、ある人が単独で執筆している場合は、投稿前に他の人がレビューを行い、誤った表現がないかどうかを確かめる機会があるかどうか、といったことです。

「正式な成果公表」という表現に関して、本の章ではなく学術雑誌での発表を想定していることにお気づきでしょう。雑誌論文は本の１章分よりも業績上は評価が上とみなされますが、それは雑誌論文が厳密な査読を受けているのに対し、本では全く査読がない場合が多いからです。

デジタルな要素の強いプロジェクトの場合、最初に選択するのは、歴史学の雑誌かデジタルヒューマニティーズの雑誌か、どちらに投稿するかということです。両方に掲載することも可能で、歴史学的な発見に焦点を当てた論文はその分野を専門とする雑誌に、技術に関する論文はデジタルヒューマニティーズの雑誌に掲載することができます。技術に関する論文は、画期的なものである必要はありませんが、技術的な方法に知識のある読者が興味を持つような内容である必要があります。自分では書けないと思うかもしれません。よくあることですが、チームの構成によって、どこで論文を発表するかが決まります。学際的な共同研究では、チームの各メンバーがそれぞれ別の場所で発表することもあります。

データリポジトリ（ファイルのオンラインコレクション）については、第６章で説明し、データの管理方法に関するその他のアドバイスも行います。データを公開したのであれば、たとえもっとも伝統的な印刷雑誌で論文を掲載したとしても、そのデータに必ず言及すべきです。しかし、言及することで、そのデータを今後長期間にわたって引用元で利用できるようにしておく義務が生じることにも注意してください。データを何年も公開し続けることのコストを考えれば、論文自体の登録を求められるかもしれない機関リポジトリの利点が際立ちます。

オンラインジャーナルに投稿する場合、特に技術に焦点を当てた場合は、データ（特に小さいもの）を論文と一緒に掲載し、読者がそこから直接ダウンロードできるものがあります。これについては事前にジャーナルと相談することができます。しかし、この方法をデータ公開の唯一の手段とするのは賢明ではありません。

デジタルヒューマニティーズに携わる人の中には、オープンアクセスジャーナルを本能的に好む人がいて、自分の研究成果が誰にとってもフリーで提供されることを望んでいます。これは立派な行動規範ですが、仮にあなたの研究成果にとって最適なジャーナルがオープンアクセスではないとしても、とにかくそのジャーナルに投稿することをお勧めします。これは、あなたの研究分野の誰もが読んでいるのが、おそらくそのジャーナルだからです。あなたの論文をオープンアクセスにするために、所属機関が費用を負担するオプションがあれば（それが可能な場合もあります）、それに越したことはありません。

この原稿を書いている時点では、ヨーロッパ全体でオープンアクセス出版を義務付けるPlan Sが展開されています。出版界の状況は変化しつづけており、本書の最終章ではこれが意味することをより広い観点から予測しています。ですが、少なくともジャーナルの出版においては、オープンアクセスが支配的なモデルになると思われます。

結論

デジタルヒストリアンとして使いたいデータやメタデータは、それがどのようにして生まれたのかを理解することが不可欠です。誰が、何のために、どのようにそれを作成したのか。これを知ることは研究プロセスの一環であり、特に既に活発な開発が終わっている古いデジタルリソースの場合には、思うように分からないこともあります。必ずと言っていいほど問題や課題にぶつかり、当初やりたかったことがすべてできないということを理解することもあるでしょう。しかし、API を試したり、メタデータに想像力を働かせることで、新しい可能性が開くこともあります。デジタルツールやデータは、あなたがどのような研究をしたいかを決定づけるものではありませんが、それが持つ制限や利用可能性は、あなたがどのように研究を行うのかを確実に左右します。利用可能性や制限がどのように自分の研究を形作ったかを説明することは、成果物の一部であるべきです。本章で触れたように、問題点に注目するのは簡単ですが、それはデジタルヒストリーの秘めた可能性を開くための第一歩に過ぎないのです。

1　British Library, Collection Guides: British Newspaper Archive, https://www.bl.uk/collection-guides/british-newspaper-archive, (accessed 5 July 2020).

2　British Library, 'Heritage Made Digital – the newspapers', *The Newsroom blog* (7 January 2019), https://blogs.bl.uk/thenewsroom/2019/01/heritage-made-digital-the-newspapers.html, (accessed 9 March 2020).

3　Putnam, 'The transnational and the text-searchable', 389.

4　「ハンサード」という言葉は、多くの英連邦諸国における議会会議録にも使われている。

5　Vice and Farrell, *The History of Hansard*, p. 18.

6　Vice and Farrell, *The History of Hansard*, p. 20.

7　Swartz, 'U.K. puts parliament proceedings online'.

8　Hansard 1803–2005, https://api.parliament.uk/historic-hansard/index.html (accessed 5 July 2020).

9　Hansard 1803–2005, https://api.parliament.uk/historic-hansard/index.html; University of Glasgow, *Historical Thesaurus of English*, https://ht.ac.uk/ (both accessed 5 July 2020).

10 Linking Parliamentary Records through Metadata, http://www.liparm.ac.uk/, (accessed 5 July 2020).

11 Digging into Linked Parliamentary Data, https://www.politicalmashup.nl/ (accessed 5 July 2020).

12 Hansard Online, https://hansard.parliament.uk/ (accessed 5 July 2020).

13 'About', Hansard Online, https://hansard.parliament.uk/about?historic=false (accessed 5 July 2020).

14 The Anglo-American Legal Tradition, http://aalt.law.uh.edu/ (accessed 5 July 2020).

15 Tanner et al., 'Measuring mass text digitization, quality and usefulness'.

16 Holley, 'How good can it get?'.

17 'About this project', Old Bailey Proceedings Online, https://www.oldbaileyonline.org/static/Proceedings.jsp (accessed 5 July 2020).

18 Staffordshire Historical Collection, British History Online, https://www.british-history.ac.uk/search/series/staffs-hist-collection(accessed 5 July 2020).

19 British Library Newspapers, https://www.gale.com/intl/primary-sources/british-library-newspapers (accessed 5 July 2020).

20 British Library, 'Heritage Made Digital' https://www.bl.uk/projects/heritage-made-digital (accessed 5 July 2020).

21 British Library, 'Heritage Made Digital – the newspapers'.

22 British Library, 'Heritage Made Digital – the newspapers'.

23 Tropy, https://tropy.org/ (accessed 5 July 2020).

24 Henry III Fine Rolls Project, https://finerollshenry3.org.uk/home.html (accessed 5 July 2020).

25 『オックスフォード英語辞典』(OED) は、「クラウドソーシング」という言葉を2006年に初めて収録し、「通常はインターネットを介し、しばしば報酬を提供せずに、多くの人々に入力を求めることで情報やサービスを得る行為」だと定義しています（https://www.oed.com/view/Entry/376403#eid288590739、2019年8月9日）。

この定義の最後の部分は、その後、一部のクラウドソーシング活動の搾取的な性格に関する議論を引き起こし、現在では、知識の共創や協同生成についてより深く検討されています。

26 Hedges and Dunn, 'Crowd-Sourcing Scoping Study', pp. 2, 21.

27 'Newspapers and gazettes', Trove, https://trove.nla.gov.au/newspaper/ (accessed 5 July 2020).

28 'About', Trove, https://trove.nla.gov.au/about (accessed 5 July 2020).

29 'What's on the menu?', New York Public Library, http://menus.nypl.org/ (accessed 5 July 2020).

30 Operation War Diary, https://www.operationwardiary.org/ (accessed 5 July 2020).

31 READ: Recognition and Enhancement of Archival Documents, https://read.transkribus.eu/ (accessed 5 July 2020).

32 Transkribus, https://transkribus.eu/Transkribus/ (accessed 5 July 2020).

33 'Project update – so long to Transcribe Bentham', Transcribe Bentham Blog (6 December 2017), https://blogs.ucl.ac.uk/transcribe-bentham/category/read-project/ (accessed 5 July 2020).

34 'Project update – improving the automated recognition of Bentham's handwriting', https://blogs.ucl.ac.uk/transcribe-bentham/2018/11/28/project-update-automated-recognition-bentham-handwriting/ (accessed 5 July 2020).

35 Old Bailey search, https://www.oldbaileyonline.org/forms/formMain.jsp (accessed 5 July 2020).

36 Old Bailey API,https://www.oldbaileyonline.org/static/API.jsp (accessed 5 July 2020).

37 しかし、Ancestryはプロジェクトレベルでは学術研究者との連携に前向きであることは述べておきたいと思います。たとえば、AncestryとFindmypastのデータはDigital Panopticonプロジェクトに含まれており、次で利用できます。https://www.digitalpanopticon.org/（アクセスは2020年7月5日）

38 'Using British History Online', British History Online, https://www.british-history.

ac.uk/using-bho (accessed 5 July 2020).

39 'Introducing JSON', www.json.org/ (accessed 5 July 2020).

40 Historical Hansard API, https://api.parliament.uk/historic-hansard/api (accessed 5 July 2020).

41 Early English Books Online (EEBO), Text Creation Partnership, https://textcreationpartnership.org/tcp-texts/eebo-tcp-early-english-books-online/ (accessed 5 July 2020).

42 Oxford University Research Archive, 'EEBO-TCP Phase I texts (XML files TEI P3)', https://ora.ox.ac.uk/objects/uuid:ad7da8fc-cd8e-4637-8b7c-99498436dbaa; GitHub Gist, 'Download all Github-archived EEBOTCP xml files from their associated repositories on Github', https://gist.github.com/mjlavin80/506d58f0b8183e8804b29446424e5118 (both accessed 5 July 2020).

43 この原則の紹介については、Blaney, 'Introduction to the principles of linked open data'. を参照。

44 たとえば、大英図書館は、詩人のウェンディ・コープ（Wendy Cope）、出版社のカーメン・カリル（Carmen Callil）、作家のハニフ・クレイシ（Hanif Kureishi）やウィル・セルフ（Will Self）など、多くの個人アーカイブを所蔵しており、その中には書類のほか、電子メール、フロッピーディスク、コンピューターのハードディスクなども含まれています。

45 'Frequently asked questions', UK Web Archive, https://www.webarchive.org.uk/en/ukwa/info/faq (accessed 5 July 2020).

46 'About us', UK Web Archive,https://www.webarchive.org.uk/en/ukwa/info/about (accessed 30 October 2020).

47 O'Neil, *Weapons of Math Destruction*, p. 21. 他にもオニールは、アルゴリズムの客観性をアピールすることは、実際に人間が下した決定から目をそらすのに有効だと指摘しています（p.133)。検索エンジンの人種的バイアスについては、Noble, *Algorithms of Oppression* を参照。

48 'Example: Kress email release', Electronic Records, George W. Bush Presidential

Library, www.georgewbushlibrary.smu.edu/en/Research/Presidential-Records/White-House-Email (accessed 5 July 2020).

49 急速に発展している歴史叙述があり、この問題をさらに追及することに興味があれば、たとえば Brügger and Milligan, *The SAGE Handbook of Web History*, and Brügger and Schroeder, *The Web as History*. 等があります。

50 Gentzkow et al., ‘Text as data’, 2.

51 ‘meta-, *prefix*’, OED, www.oed.com/view/Entry/117150 (accessed 29 October 2020).

52 Gartner*, Metadata* は歴史的な背景を多数盛り込んだトピックを紹介しています。

53 Early English Books Online, https://about.proquest.com/products-services/databases/eebo.html (accessed 30 October 2020).

54 Milligan, ‘Lost in the innite archive’.

第3章

デジタルプロジェクトの始め方

デジタルヒューマニティーズにおける研究成果の概念は、専門書や研究論文といった通常の意味での研究成果の形式よりも幅広い傾向があります。[1)]

本棚にある本やTwitterのアカウントなど、使いたいテキストをどのようにして使える形にしたら良いのでしょうか。この章では、そのプロセスとそこで関わってくる選択についてアウトラインを示します。テキスト操作、構造化、バージョン管理などのトピックにも触れますが、これはハイレベルな内容であり、テキストそのものを扱う作業については第4章と第5章で詳しく解説します。第6章ではプロジェクトの開始から終わりまでのデータ管理について、第7章ではその成果をもとに図表やマップなどの視覚的なアウトプットを引き出すことについて説明します。

郵便住所録の紹介

本書ではある1つの文書史料に焦点を当て、その史料に対するさまざまなアプローチの仕方を紹介していきます。ここでは、『1879年郵便住所録』（*The Post Office London Directory for 1879*）を選びました。本書で使用するすべてのファイルは、筆者らのリポジトリで公開していますので、本書の内容を再現する場合は、そちらをご利用ください。付録1ではコピーデータの入手方法を説明しています。ここで取り上げた方法は、さまざまなタイプの歴史データにも応用できると思います。

ロンドンの郵便住所録が初めて発行されたのは1800年ですが、ロンドンをはじめとするグレートブリテン島およびアイルランドの各都市では、17世紀から別々の住所録が発行されていました。1850年までには、『郵便住所録』は標準的な構成になっており、その中には、商工録（アルファベット順の商人リスト）や、住所録（商売に携わっていない、純粋な住所をまとめた人物リスト）が含まれていました。本書では、アルファベット順に詳細に書かれ、「郵便配達人の歩き方」も記載した通りのリストを使用することにします。重要なのは各住所に居住者の情報が記載されているという点です。また、それに加えて、方位記号と隣接する通りのリストから、古い通りの方向を確認することができることです。したがって、ある年のある通りのある場所に住んでいた人や商店の位置をきわめて正確に確認することが可能なのです。

本書で取り上げる住所録は、ピーター・アトキンス（Peter Atkins）がもっとも充実したロンドン郵便住所録だと指摘した時期の直前に作成されたものです。[2] しかし、その内容が網羅的なものと考えるべきではありません。図3.1に示すように、各住所には1人の住民しか記載されていないため、この住所録だけではその物件に住んでいる他の人々の身元や人数までは分かりません。また、情報収集過程——担当者が家々を訪ねて書き留めるという——でのミスや欠落があるように（図3.1）、たとえば裕福な地域や職業に関しては情

Blenheim road, ***St. John's wood*** **(N.W.),** ***between*** **42 & 44** ***Abbey rd.*** **Map F 6, G 6.**

1 Thornton James
2 Goodiff Francis Taylor
4 Padwick Miss
5 Chapman William
6 Archer John Chapman
7 Martin Samuel H
8 Webster Mrs
9 Cheshire John, professor of music
10 Watson Hugh
11 Hurle Capt. Arthur
12 Smith Mrs
14 Wright Miss
15 Abrams Benjamin
.... here is Loudoun road ....
16 Vokes Frederick
17 Crick Mrs
18 Alpe Edmund Nicholas
19 Kennedy Mrs. W. H
20 Urquhart Mrs. & Miss
21 Brunskill John
22 Seymour George Lim, artist
23 Millett Hannibal Curnow, solicitr
24 MacLeod Norman
25 Hughes Harley
26 de Fivas Alan S
27 Jacox Miss
28 White Charles John
29 Peake Mrs

図3.1 『1879年郵便住所録』に掲載された Blenheim Road の情報

報が多く記述されているなどのバイアスも認められます。[3)]

これは、データセットが作成とキュレーションの環境によってつねに左右されるものであるということを想起させてくれる良い事例です。今回のケースでは商業出版社が特定の市場に向けて販売するために情報を収集しました。期待どおり、その商業的な動機の痕跡が私たちが扱うデータに残されているのです。

第1章で述べたように、デジタルなアプローチは決して他の歴史研究の形式に取って代わるものではないという主張を、ここで改めて繰り返す必要があります。ヴィクトリア朝期のロンドンの特定の地域に興味を持った歴史研究者は、もちろん、多くの異なる証拠を持ち出し、アトキンスが記したコレクションのバイアスを正そうとするでしょう。

とはいえ、データ量を考えれば、このデータがもたらす可能性には非常に大きいものがあります。ここでは簡潔にするために、1878年のロンドンの住所録の一部のみを利用しますが、時代間の比較あるいは英国の都市や町同士での地理的な比較研究の可能性は明らかでしょう。たとえば、19世紀の数十年間に変化した社会経済的統計データに興味がある研究者は、郵便住所録の各年次版から商店と住宅の情報を抽出することができます。もちろん、1つの通りを対象にこのようなことをするのに、必ずしもデジタルツールが必要というわけではありません。数十年分の住所録を用意して、その通りにある商店や、住宅と商店の割合をリストアップすることは十分可能です。しかし、規模が大きくなると、この作業はとてつもなく手間がかかるものとなります。たとえば、19世紀中のロンドンとエジンバラの弁護士の数を比較しようと思ったら、大変な作業になります。ペンと紙を使って、個人名をもとに性別を数えるのはさらに困難を極めます（住所録の中では女性には「Mrs」のような性別の敬称が与えられますが、男性には通常その敬称はありません）。

このようなことは、テキストが機械可読形式になれば可能になりますが、そのためにはまだやるべきことがあります。

住所録をスキャンする

テキストの史料を中心としたデジタルヒストリープロジェクトの第一段階目は、そのデータの機械可読なバージョンを取得または作成することです。機械可読性があるとは、テキストベースのソフトウェアがデータを**テキストとして**理解できるということを意味します。たとえば、史料の1ページを写した写真は、Photoshopのような画像ソフトで読み取ることができるデジタル資料ですが、Photoshopではその写真の中の文字を検索することはできません。スマートフォンのアプリの中には、写真の文字を裏で処理して機械的に読めるようにしたものもあります。この違いは曖昧ですが、違いがあることに変わりはなく、どこかの工程でこの作業〔テキスト化の作業〕をする必要があるのです。

理想的には、**どのような**エディタでもテキストが読める形式にしたいところですが、専用フォーマット（Microsoft Wordなど）がデフォルトで使用されていることが多くあります。第4章では、Wordなどのフォーマットが、本書で扱う作業の多くで適していない理由を説明し、無料で使える別の手段を提案しています。

歴史研究者は、あるテキストが機械可読形式で提供されているのを発見すると、たとえそのような〔機械可読形式という〕言葉で考えていなくても、喜んでしまうものです。それというのも、これは誰かがそれを作り出すという仕事をしたということを意味するものだからです。印刷資料のテキストが検索やダウンロードのためにオンラインで利用できるようになっているということは、誰かがそのテキストの機械可読形式のものを作成したということなのです。

デジタルプロジェクトにおいて、必要とするテキストが機械可読形式で入手できるということは、通常、大きな利点となります。否定的な側面としては、そのテキストの正確さの度合を決定した当初の判断が、新しいプロジェクトに合わない可能性があるということです。また、残念ながら、データを希望の形に整えるのに必要な作業が、史料を新たにデジタル化するよりもコストがかかる場合もあります。

今回のプロジェクトでは、既存の機械可読形式のファイルというものは全くありません。あるのは1878年の住所録の印刷版だけです。そこで最初の作業は、この史料をスキャンしてページのデジタル画像を作ることです。この史料のために、デジタル撮影の企業に100ページを13ポンドでスキャンしてもらいました。私たちが利用した企業のようにフォーマットや品質についてアドバイスしてくれる会社もありますが、私たちは**白黒2値（bitonal）**で、つまりページの各部分が黒か白のどちらかであって、グラデーション（**グレースケール**のように）がないようにスキャンを依頼しました。グレースケールに比べて読みやすさや見やすさは劣りますが、白黒2値スキャンはサイズが小さいので、大量にスキャンする場合には重要なポイントになります。ファイル形式は、画像のアーカイブ用フォーマットとして推奨されているTIFFにしてもらいました。解像度は400dpi（ドット・パー・インチのこと。高精細スキャンと同程度で、鮮明さを損なわずにズームできる程度）としました。アーカイブ用の画像の最低解像度は300dpiですが、現在ではそれ以上の解像度が使用されることがよくあります。図3.1は、私たちがスキャンしたものの一例です。

ページを自分でスキャンしても、注意すれば良い結果が得られますが、時間がかかり、ミスも起こりやすいものです。デリケートな資料や標準的ではないフォーマットやサイズの資料の場合には、専門業者の設備が必要になることもあります。多くの図書館や文書館では、資料が適切に扱われるのであれば、所蔵資料の写真撮影を許可しています。たとえば、開いたページを撮影するための作業台を作るのに、斜め台の上に置いたり、特別に設計された重りでページを開いた状態にしたりするということが考えられます。

スキャン画像の品質チェックは煩わしいものですが、次のステップに進む前に行うべき重要な作業です。正しいページ数がスキャンされているかどうかは簡単に確認できますし、重複していないかどうかも自動でチェックできます（その方法は付録2を参照）。しかし、各ページに目を通し、視認性に問題がないかどうかを確認する必要があります。よくあるスキャンミスとしては、本文の一部が切れてしまったり、本文が指などで隠れてしまったり、本ののどにある本文がぼやけてしまったりするものです。

OCR と手入力

目的によっては画像だけで十分な場合もあります。しかし、今回のプロジェクトでは、テキストそのものを扱えなければなりません。前章で説明したように、画像からテキストを作成するには、基本的に2つの方法があります。これは重要な違いなので改めて説明します。一人あるいは複数人で見たままに一語一語、ページごとに入力していく、これが手入力です。もうひとつが、コンピュータプログラムが画像のピクセルをテキストに変換するOCRです。

手入力にはリソースを必要とします。誰かにお金を払ってテキストを翻刻してもらうか、自分で書き写すか、あるいは、他の人に翻刻するよう勧誘するかです（学生であれば単位のためですし、一般の人であれば個人的な興味のために）。ほとんどの場合、翻刻作業者にはテキストを読んで正確にタイプするスキルが求められます。例外は、一般に公開し、同一のテキストから複数の翻刻文を得るほど十分な成功を収めた、ごくまれな「クラウドソーシング」プロジェクトで、多くの人が読むことによって個人の誤読を補うことができます。クラウドソーシングにはそれなりのコストがかかります。翻刻文をアップロードし、場合によってはチェックし、他のバージョンと突合させ、進捗状況を追跡するような仕組みが必要となります。

OCRはもっと安価にできるものです。OCRが可能な無料のプログラムも数多くあります。では、なぜ誰もが手入力にこだわるのでしょうか。それは、OCRがいまだに多くの場合、かなり不正確だからです。近代活字と直線的なテキストブロックできれいに印刷されたテキストであればOCRはうまくいきますが、歴史的な印刷資料ではほとんどそのような結果は得られません。第2章で説明したように最近では素晴らしい結果が得られるようになってきたものの、手書き文字はOCRプログラムにとって依然として大きな問題です。

OCRの精度を上げるにはいくつかの方法があります。まず、OCRに適した画像にするための前処理を行うことです。これには、テキストを鮮明にしたり、コントラストを上げたり、場合によっては画像をグレースケールから白黒

2値に変更するなどの作業が含まれます。このような処理は、画像編集ソフトで行うことができます。さらに高度な技術では、同じテキストを3つの異なるOCRプログラムでテキスト化し、その出力結果を比較して、正確だと判断できそうなものを選択するというものです。同様のプロセスは手入力でもよく使われます。2つの翻刻文を比較し、原文との相違をチェックするというものです。

本書では、比較目的で通りの一覧の「B」セクションをOCRを使い筆者らがテキスト化しました。また、同じ部分を専門業者に依頼して手入力でデータ作成をしてもらいました。この費用は260ポンドでした。同じ資料をスキャンしたときの費用が13ポンドだったことを思えば、なぜ多くのデジタルリソースが画像のみ、または画像とOCRデータを公開しているのかが分かると思います。手入力はOCRよりもコストがかかりますが、OCRの精度が上がっているとはいえ、やはり手入力の方がはるかに良い結果が得られるはずです。両方の方法で作成したファイルが私たちの〔GitHub上の〕リポジトリにありますので、ぜひ比較してみてください。

そのリポジトリには2つのフォルダがあり、手入力テキストの異なるバージョンが入っています。ひとつが構造化テキストで、もうひとつが構造化されていないテキストです。構造化されていないテキストの扱い方については第4章で、構造化されたテキストについては第5章で説明します。今のところは、専門業者に構造化テキストの作成を依頼する場合には、その構造化の内容を正確に指定する必要があることに注意してください。

私たちの翻刻作業指示書は参考のためにリポジトリに置いていますが、専門業者に問い合わせれば、どのような作業指示書が必要か教えてくれたり、カスタマイズできるテンプレートを提供してくれます。この段階で、手入力の精度についても同意する必要があります。特に読みにくいテキストでなければ、通常は99.9%が最低ラインです。これは、人間の手による翻刻では達成できる精度ですが、OCRではほとんどできないものです。

Git と確認

入力済みのファイルを受け取ってまず行うことは、そのファイルをバージョン管理下に置くことです。その方法については、第6章で詳しく説明します。バージョン管理を行うことには2つの利点があります。第一に、ファイルの作業中に問題を発見した場合、その原因が私たちの作業によるものなのか、それとも入力を依頼した業者の担当者の間違いによるものなのかを確認することができます。バージョン管理を行うことで、ファイルの状態を、それを最初に受け取った時点や他の処理を行った段階に戻すことができます。第二に、ファイルを扱うとき、とりわけ大量のファイルを扱うときにはミスがつきものです。間違いを犯すことは良い勉強になります。とりわけファイルを最初のバージョンに戻せることが分かっていれば、自由に試すことができます。これこそがバージョン管理がもたらす利点です。ここでは、Git という無料のバージョン管理プログラムを利用します。また、利用を推奨します。Git では復帰できる時点を設定するたびに、ファイルの状態を説明するメッセージを残す必要があります。しっかり利用すれば、進捗状況をドキュメント化して追跡するのに非常に便利な方法です。

手入力を委託した業者から受け取った構造化データについては、まずは、依頼したとおりの構造になっているかどうかを確認する必要があります。この時点で、手入力の精度を確認するべきでしょう。業者に送り返す必要があるかもしれないので、他の作業を開始する前に確認するのがベストです。プロジェクトでは、通常、テキストをサンプリングして原本と比較しますが、その際、ページ数またはファイルサイズの割合を検査するか、あるいはいくつかのサンプルセクションを選んで検査するかのいずれかです。経験上、手入力データを作成する業者は優れたサービスを提供していますが、やはり納品物はチェックする必要があります。

翻刻データの作成に OCR を使用することを選択した場合も、同様のプロセスが求められます。OCR によって作成されたテキストのサンプルをチェックし、原本と比較してその正確さを確認する必要があります。しかし、入力者に差し戻すことはできないので、自分で修正するか、それが不可能な場合は、その要修正データを利用してその課題への対応策を決める必要があります。最初はOCRよりも手入力の方にリソースがかかりますが、その後のOCRのプロセスに費やす時間を思えば、リソースの違いはそれほど明白とは言えないことに気づくでしょう。

テキストデータのクリーニング

OCRを使用する場合、テキストのクリーニングは避けては通れません。仮に入力者がテキストを正確かつ完全に入力していなかった正当な理由があるなら、あなた自身が入力しなおさなければならないことになります。原本のページが破損していると、空白ができてしまうことがあります。また、スキャンエラーで読めなかったり、ミスによって省かれていたテキストを入力者が確認できなかったりすることもあります。OCRや手入力の前にスキャン画像をチェックすることの重要性を強調したのはこのような理由からです。スキャン画像の不具合によってテキストが読めなかったり欠落が生じたりするのは、入力者の問題ではなく、あなた自身の問題になるからです。

また、入力者への作業指示が思っていたほど包括的なものでも、明確なものでもなかったことが判明するかもしれません。もしくは、変更を加えたくなったり、テキストに対して改良を加える必要が出てくるかもしれません。大量のテキストには、どれほど慎重に検証しても、他にはない特徴やほとんど気づかない矛盾というものがつねにあって、そのことは誰かがすべてをタイプしなければならないときになって初めて明るみに出るのです。手入力やOCRの後にそのような問題に対処せねばならなくなっても、失敗したとは思わないでください。デジタル化のプロセスではよくあるトレードオフなのですから。

OCRテキストに目を通すと、少なくともいくつかのエラーにはパターンがあることに気づきます。テキストのパターンを見つけたり変更したりするには、通常、**正規表現（regular expressions）**の出番となります。正規表現、すなわちregexは、しばしば時間と労力を節約できるツールですので、本書の中でも大部分を占めます。テキストを扱うソフトウェアの多くに正規表現が組み込まれており、汎用的なツールのようになっています。最初は難解に感じるかもしれませんが、正規表現を使いこなすことで、テキストを扱う際の生産性を大幅に向上させることができます。

一部の書体でよく見られるOCRエラーは、アルファベットのoが数字の0と混同されることです。次のようなものを見たことがあるでしょう。

```
R0bert
```

または

```
19o5
```

〔アルファベットの〕文字で囲まれた「0」も数字で囲まれた「o」もOCRのエラーと考えて間違いないでしょう。第4章で紹介する正規表現は、これらのパターンを見つけることができますし、他にも本当にたくさんのパターンを見つけることができるのです。

この方法で、OCRやその他の翻刻文の問題を解決することができます。しかし、0をすべてアルファベットのoに変更するためだけに正規表現を使用しようとは思わないかもしれません。なぜなら、そのままで正しいケースもありえるからです。そのようなケースのためには、正規表現を使い、パターンのすべての事例を文脈とともにリストにすることが必要です。誤検出を削除すれば、問題ないことがわかっている変更ファイルのみが手元に残ります。

正規表現を使用することで、OCRの修正プロセスは確実にスピードアップしますが、楽なプロセスであるとは言えず、この方法で修正できないタイプのエラーもあります。第7章では、手入力した郵便住所録データから抽出した職業リストのデータクリーニングについて説明します。ご覧いただければわかるように、これはほとんど手作業で、職業のリストを繰り返し見て確認しながら不一致を修正しました。

時には修正作業を半自動化することもあるでしょう。正規表現のようなツールを使って作業の一部を行い、より難しいケースには集中して手作業で行うのです。また、テキストが改善されていくにつれ、修正箇所は減っていき、ある時点でこの作業をやめて次に進まなければなりません。経験上、データクリーニングはデジタルヒストリープロジェクトの大部分を占めています。[4)]

正規表現で構造を追加する

『郵便住所録』では、住所の大部分は数字が行頭に置かれているので、この既知のパターンを利用し、行頭にある数字を住所の開始位置としてマークすることができます（この方法については、次の2つの章で説明します)。この作業には、行頭の任意の数字を見つけるのに最適な正規表現を改めて利用します。このようにして追加できる構造の総量は、テキストから容易に読み取ることのできるパターンの数に左右されます。

整った構造をしているOCR化テキストを扱う場合は、テキストの特徴へのタグ付けに正規表現を利用することができます。しかし、誤字脱字やデータの多様性がもたらすテキストの不規則性が高まれば高まるほど、手作業でのチェックやクリーニングが必要となり、効果的に扱えるパターンを見出すのがますます難しくなります。

クリーニングや構造の追加作業が完全に自動化できる可能性はほとんどありません。テキストデータは雑然としていたり、一貫性がなかったりする傾向があり、どれほど慎重にプロセスを自動化しても一部の外れ値はそれをすり抜けてしまいます。自動化と手作業を組み合わせるのはごく当然のことなのです。たとえば、次のような手順が考えられます。

1. データを調べてパターンを見つける
2. 変更作業を自動化する
3. 検索してエラーや外れ値をチェックする

4. 3で発見した内容を手動で修正する（ただし数が少ない場合）
5. 再び1に戻る

最初はテキストを自動で処理することが恐ろしく感じられるかもしれません。次章からはその方法について順を追って説明していきます。練習して経験を積めば、体が覚えるものです。

1 Berry and Fagerjord, *Digital Humanities*, p. 28.

2 Atkins, *The Directories of London*: *1677–1977*.

3 Atkins, *The Directories of London: 1677-1977*, pp.126-131.

4 Hill and Hengchen, 'Quantifying the impact of dirty OCR on historical text analysis', fn2では、「データクリーニングがデジタルプロジェクトの8割を占める」というよくある議論について簡単に言及していますが、この特徴的な割合を示すエビデンスは示していませんでした。当然のことながら、必要となるクリーニングの量はプロジェクトごとに異なるものです。データクリーニングにまつわる「神話」については、D'Ignazio and Klein, *Data Feminism*, pp.130-135も参照のこと。

第4章

テキストを扱う(1)：非構造化テキスト

この分野〔歴史〕は「文法」と結びついている。なぜならば、何であれ記憶に値するものはすべて、書き留められるからだ。[1)]

セビリアのイシドールス〔中世初期の神学者。560頃～636年〕以来、歴史学の定義の多くは、その中心にテキストを位置づけてきました。もっぱら非文字資料を扱う歴史研究者（たとえば一部の考古学者）であっても、目録類や同業者の文献など、書かれた二次資料を使用し、また自らも電子メール、メモ、草稿、報告書、査読論文などの形でテキストを作成しています。本章で説明する技術は、他から入手したテキスト資料に対してだけでなく、自分自身で作成したテキスト資料にも応用することができます。

これらの技術は、あなたがこれまでに使ったことがないようなものかもしれませんが、多少時間を費やして練習すれば、大小さまざまなテキストの集合を自在に操作できるツールキットを手にすることができるでしょう。

本章では、「データ」を「テキストデータ」の略語として使うことがあります。あらゆる機械可読な形式のテキスト（通常はさまざまなフォーマットのファイル）の意味でデータという表現を使いますが、本章で説明する技術は、計算を目的としたもの、たとえば数字の集合から平均値を出すために使うような類のものとは異なります。

データの文脈を知ること

歴史研究者であれば、ある情報が収集・記録された文脈を理解することが、その情報を扱う上で不可欠であることを知っているものです。たとえば、ある課税記録を扱う場合、誰が納税義務を負い、誰が負っていなかったのか、免除を申請したり獲得したりする手続きはどのようなものだったのか、資産評価はいつどのように行われたのか、課税を回避したり逃れたりするために利用できる制度には何があったのか、といったことを知ることが重要になります。このような記録を仔細に調べれば、〔記録を作成した〕書記の人数や書記同士の習慣の違いについて知ることができるでしょう。たとえば、書記Cは書記Aよりも綿密な記録を取っていたかもしれません。最終的にあなたは、その記録について何が知られていないのか、またどのようにしてそれらが作成されたかを明確に理解できるようになり、その記録が示す証拠の評価にあたって、つねにそれを念頭に置くことができるでしょう。

ティム・ヒッチコックが注意を促しているとおり、訓練を受けた歴史研究者は、こうした一次史料を所蔵している図書館や文書館、掲載している刊本の文脈や限界を理解していますが、デジタルリソースには必ずしも精通しているわけではありません。

> 今や私たちはそういった新しいリソースに、新しい方法で取り組むことができるようになったが、そのためには、新たなデジタル形式で古い史料を扱うことができ、かつデジタル化によってそれらが異なるものになってしまうということを認識している研究者が必要である。[2)]

デジタル形式の記録も同じように理解する必要があります。歴史研究者のツールキットの一部として、そのような理解は持っておくべきですが、この「べき」という主張には2つの問題があります。一つは、いまだに歴史研究者はデジタル記録の理解・処理のための訓練を日常的に受けていないことです。もう一つは、デジタル記録のドキュメンテーション〔第6章を参照〕はきちんとなされていないことが多いため、そのデジタル記録がどのように生産され、どのような方法論が用いられているのかについて再現・理解するのが難しいことです。

「ボーンデジタル」のデータと、アナログ形式（たいていは印刷物や写本）から何らかの方法で変換された「デジタル化」データを区別するのは、一般的であり便利でもあります。ボーンデジタルのデータは扱いやすいと思われがちですが、実際はめったにそのようなことはありません。ボーンデジタルのデータの扱いの複雑さを示すために、ごく簡単な例を挙げてみましょう。


```
{"created_at":"Mon Aug 20 14:27:45 +0000 2018",
"id": 1031548347633618946, 1d_str": *1031548
347633618946","fulltext": "RT 1_w_baker: Thread. Or, why
building our emerging digital scholarly practice around
well-meaning but opaque commercial platforms is foll\
u2026"...
```


これは、〔Twitterの〕@bho_historyというアカウントが@Oj_w_bakerというアカウントのツイートをリツイートした際のタイムライン上のツイートです。JSON形式（第2章を参照）でエクスポートするとツイート全体で9,150文字に上るため、ここではスペースの都合上、最初の270文字のみを表示しています。このようなツイートを何十万、何百万と扱うことは困難です。とはいえTwitterは、これでも本質的にとてもシンプルかつ制限された、予測可能なフォーマットなのです。

問題の一部は、人文学研究者のニーズを考慮して作られたボーンデジタルのデータはほとんどないということです。ボーンデジタルのデータはとても冗長なことがあるため、使う前にデータを削り落とす必要があるかもしれません。また、多少なりとも使用に耐えるものにするために、何らかの技術的な処理が必要になるかもしれません（たとえば、別々のデータベーステーブルに保存されているので正しく結合する必要があるなど）。さらに、データのドキュメンテーションがきちんと行われておらず、たとえば使用されているフィールドコードなど、データに不明瞭な点がある可能性もあります。

デジタル化されたテキスト形式の歴史的記録の中には、実際に歴史研究者のために作られ、より簡単に利用できるものもあります。この場合、より問題になりうるのは、データの選択（何がデジタル化され、何が省かれたのか）や方法論（OCR か手入力かという前述の区別）です。質の保証は、行われたとすればどのように行われたのか、印刷物のデジタル化の場合にその資料はどこから来たのか、使われた版にあった問題は他の刊本を参照して修正されているのか、こっそり修正された何らかの誤りがないか、といった疑問に対しては、きちんとドキュメンテーションをしておけば、その大半に答えることができますが、私たち自身の経験から認めざるを得ないように、関連ドキュメントを整備することは、切羽詰まったデジタル化プロジェクトでは、しばしば余計な仕事だと見なされてしまうのです。

データの背景だけでなく、どのくらい正確に翻刻されたのか、とか、事後に人手によるデータ操作が行われたかどうか（あるいは自分で修正を加える必要があるかどうか）についても知りたいものです。また、もしソフトウェアが使われていたなら、どのソフトウェアでどのような設定で結果が検証されたのでしょうか？　テキストに出てくる人物が同定されている場合、それは人手によって行われたのでしょうか、それともソフトウェアを使ったのでしょうか？　また、何をもって人と見なすかについてのルールはどのように決めたのでしょうか？　ジョン・ブル〔イギリス人の典型として擬人化された架空の表象〕や幽霊や聖霊は、「人」なのでしょうか？

これらの疑問にいつでも答えられるとは限らないでしょう。しかし、つねに疑問を持つようにしておくべきです。

プレーンテキスト

本書では、「テキスト」や「テキストファイル」についてよく触れますが、これは、Word の文書や PowerPoint のスライドで読まれるようなテキストのことではありません。ここでは、さまざまなソフトウェアで読めるテキスト（「プレーンテキスト」と呼ぶことにしましょう）、つまり任意の**テキストエディタ**で用意できるテキストと、Microsoft WordやMacのPagesのような特定のソフトウェアでしか読めないテキストとを区別していますが、この区別は重要です。WordやPagesといったソフトウェアと比べると、テキストエディタは、フォント変更などのタイポグラフィ機能を持たないため、比較的簡素な印象を与えます。

表4.1　一般的なファイル形式

ファイルの拡張子	形式（format）	プレーンテキストか否か
.doc, docx	ワードプロセッシング	×
.xls, .xlsx	スプレッドシート	×
.txt	任意のテキスト	○
.xml	XML	○
.csv, .tsv	コンマ区切りまたはタブ区切り	○

この違いにこだわる理由は、第一に、プレーンテキストはWordファイルにはない操作性を持っている点にあります。Microsoft社は、自社のOfficeソフトウェアを広く購入してもらいたいため、しかるべきソフトウェアを持たない人がファイルを利用することを困難にしています。一方、プレーンテキストは、誰かの独占的な形式ではないため、多くの（しばしば無料の）ツールで読み込むことができます。第二の理由は、この章で紹介したい技術の一つに、あるツールから別のツールにテキストを受け渡すというものがあるためです。これはつまり、個々の専門的なツールがプレーンテキストを処理し、次のツールのためにプレーンテキストを生成できるようにするということです。第三に、Wordのようなプログラムでは、ここで取り上げるフォーマットをうまく扱えなかったり、それどころか破損してしまったりするからです。

表4.1には限られた数の形式しか挙げていませんが、あるファイルがプレーンテキストかどうかを知りたい場合、簡単に調べる方法があります。そのファ

イルをテキストエディタで開けば良いのです。テキストエディタでファイルを開いてみて、読解可能で意味の通ったテキストが表示されていれば、それはプレーンテキストです。明らかに無意味なテキストが表示されていれば、それはおそらくプレーンテキストではありません。[i]

では、そもそもテキストエディタとは何でしょうか。Windowsマシンであればワードパッドやメモ帳、Macであればテキストエディットといった具合に、どのPCにも1つは入っているはずです。しかし、ここでは、他のテキストエディタをダウンロードすることを強くお勧めします。なぜなら、本書の内容を理解するためには、このあと説明する**正規表現**を使った検索・置換の作業ができるテキストエディタが必要だからです。優れた無料のテキストエディタは幸いたくさんあるので、いくつか試してみて気に入ったものを見つけるのは簡単です。テキストエディタはデジタルツールの主力であり、時に激しい論争を引き起こすこともありますが、正規表現さえサポートされていれば、どのエディタを選んでも問題ありません（なお、正規表現はほぼすべてのエディタがサポートしています）。何を選んで良いか分からない場合は、Sublime Text（ベータ版が無料で提供されています）を試してみることをお勧めします（https://www.sublimetext.com）。

この章で扱う内容を理解するためには、さらに2つのフリーソフトウェア、すなわち**コマンドラインインターフェース**（Command Line Interface, CLI）と、バージョン管理ツールの「Git」が必要です。CLIとGitの入手方法については、使用している OS に応じて下記を参照してください。

Mac または Linux の場合

嬉しいことに、すでにコマンドラインは入っています。Macでは「ターミナル（Terminal）」という名前です。ターミナルはやや隠れたところにありますが、Finderで「terminal」と入力すれば出てきます。ほとんどのLinuxのバー

i　ただし日本語の場合は文字コードの問題があるため、文字化けを起こしている場合でもプレーンテキストでないとは必ずしも言えない。

ジョンでは、"ctrl + alt + t" というキーボードショートカットでコマンドラインを呼び出すことができます。

Git には Mac 用のパッケージがあります（https://git-scm.com/download/mac）。Linux では、〔使用している Linux のディストリビューションに応じた〕パッケージマネージャーから Git をインストールすることができます。

Windows の場合

Windows には独自のデフォルトの CLI が入っており、一般的には DOS と呼ばれています。これは少々性質が異なり、また機能も比較的限定されているため、本書では使用できません。PowerShell と呼ばれる、より優れた Windows のコマンドラインは、熱心な Windows ユーザであれば試す価値はありますが、これも本書の用途からは離れています。

代わりに、無料のコマンドラインツールであるGit Bashをダウンロードすることをお勧めします。Git Bashは、Git for Windows（https://gitforwindows.org/）に含まれています。このツールをインストールすると、Windows エクスプローラの任意のフォルダを右クリックして、そのフォルダ内で〔つまり、そのフォルダをカレントディレクトリとして〕Git Bash を開くことができるようになります。

https://git-scm.com/download/win から Git for Windows をダウンロードし、exe ファイルをインストールすることで、CLI と Git の両方を一度にインストールすることができます。

Raspberry Pi（ラズベリーパイ）の場合

コマンドラインを試すための最後の選択肢は、Raspberry Pi のような小型コンピュータを手に入れることです。一番安いモデルであれば 10 ポンド以下で購入できますが、Wi-Fi 機能がついているものが良いでしょう。また、周辺機器も必要です。接続コード、外付けキーボード、モニター（テレビでも可）、そしておそらくマウスも必要になります。もちろん、すでに持っている周辺機器を再利用しても構いません。

デフォルトのOSである"Raspberry Pi OS"をインストールすると、コマンドラインが準備され、テキスト処理の作業ができるようになります。

本章の例に沿って作業を進める（そうすることを強くお勧めします）ためには、GitHub上の本書のリポジトリからデータのコピーを入手する必要があります。

https://github.com/ihr-digital/digital-history

ここにあるデータは基本的に、前章で説明した手順に沿って、郵便住所録の中の「B」で始まる通りを掲載したページの内容を手入力したものです。「data」フォルダの中には、〔原資料から〕翻刻されたプレーンテキストのファイル類があり、本章ではそれらを使用します。「XML」フォルダにあるのは、同じ資料を「マークアップ」したもので、次章で集中的に扱うことになります。

リポジトリのメインページには「Clone or download」というボタンがあり、これを使って作業対象のすべてのデータのzipファイルをダウンロードできます。[ii] クローンオプションの使用方法など、データの取得に関するより詳細な情報については、巻末の付録1を参照ください。

テキストを相手に作業を行う

本節では、テキストを大規模に扱うためのツール類を紹介することから始めましょう。ここで紹介する技術は、第2章で触れた『ハンサード』のような、自分のコンピュータで扱える規模のものであれば、どんなプレーンテキストの集合体に対しても使うことができます。しかし、これらの手法に慣れ親しんでいけば、個々のファイルに対するちょっとした作業にも使えるようになるで

ii 本書翻訳時点では、リポジトリのトップページに「Code」ボタンがあり、クリックすることでZipファイルのダウンロードに進むことができる。

しょうし、そうなることを私たちは望んでいます。まずは、プレーンテキストを扱う上で欠かせない正規表現から話を始めることにしましょう。

正規表現は、テキストの検索・操作のための強力な手段です。重要なのは、正規表現はテキストの中から、たとえば次のようなパターンを見つけることができるということです。

- 丸括弧〔()〕内のすべての数字
- すべての大文字の単語
- 「Mr」の後に大文字の単語が1つまたはそれ以上続いているもの（これは、名前を大雑把に検索する作業にあたります）

ここからは正規表現を **regex**〔regular expression の略〕と呼ぶことにします。[iii] これは正規表現の一般的な略称で、このトピックについてウェブ検索をする際に知っておくと便利です。

正規表現の学習で厄介なのは、このようなパターンの表記法が非常に簡潔であることです。最初は戸惑うかもしれませんが、めげないことです。くれぐれも「自分の頭では分からない」などと思わないように。そんなことはありません。ただし、練習して頭を慣らすことは必要です。

正規表現を学ぶ最良の方法は、自分が特に関心を持っているテキストに対して、自分自身でコマンドを試してみることです。以下の例では、本書のGitHubのリポジトリから、「text-files」フォルダにある「Balls-Pond-road.txt」というファイルを使います。また、このファイルに取り組むだけでなく、自分で選んだテキストや問いに基づいて例題を改変してみることをお勧めします。

ファイル「Balls-Pond-road.txt」を好きなテキストエディタで開いてください。まずここでは、エディタの検索・置換ツールと、正規表現のオン・オフ切替オプションの2つがどこにあるかを確認しましょう。Sublime Text を使用

iii　訳文には影響しない。

している場合は、図 4.1 のように、画面の下に検索ボックスが表示され[iv]、その一番左に「.*」と書かれた正規表現ボタンがあります。

さしあたり、正規表現はオフにしておきます。まずファイルの中から数字の「1」を検索してみましょう。Sublime Text はマッチしたものすべてをハイライト表示します。最初にマッチするのは「Clark John, baker」の住所の先頭です。この種の検索はすでにおなじみのものでしょうし、その限界もご存知でしょう。これはリテラルな文字列検索であり（「文字列（string）」とは、任意の長さの連続した任意の文字を意味します）、何を検索したいかを事前に正確に知っておく必要があります。次にハイライトされているのは「Stokes Nathaniel, hosier」の住所ですが、実際には数字の「11」の 2 つの桁がそれぞれ別々にハイライトされていることに注意しましょう。

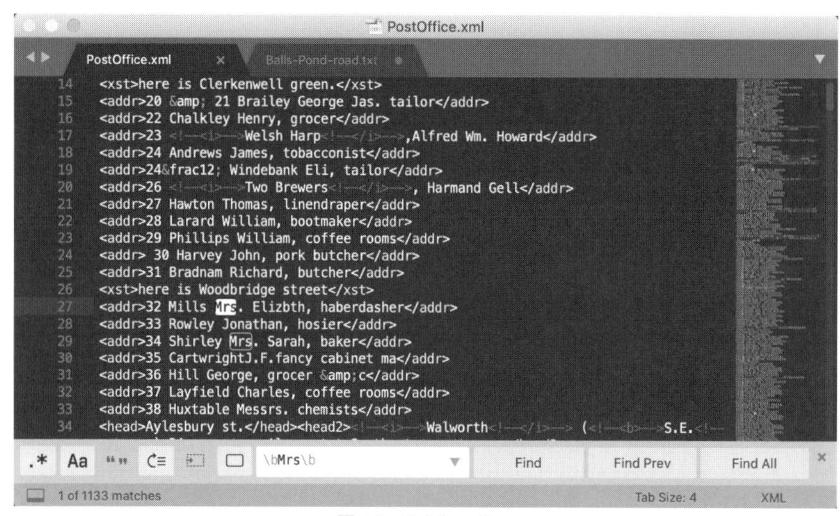

図 4.1　Sublime Text

ケーススタディ：郵便住所録での住所のパターン

郵便住所録について分かっていることの一つは、すべての物件の情報が収集

iv　翻訳時点での最新版ではデフォルトでは表示されない仕様となっており、「Ctrl + f」等で表示される。

されているわけではなく、裕福な地域・職業の方が、貧しい地域・職業よりも入念に記載されているということです。[3] この事実を踏まえると、次のような歴史研究上の問いが生まれるでしょう。

- ある通りに存在する物件の種類はどのようなものか、またそれがどのように記録されているのかについて、情報を引き出すことはできるか？
- どれだけの通りが網羅されているか、推定は可能か？
- 建物の名前と番号の比率や、「123A」「123B」のような番地の出現比率から、何か分かることがあるか？

このようなあらゆる問いに対して、正規表現は役立つツールです。

住所パターンの調査を始めるためには、まず、「1」のような数字や「123」のような固定された数字の文字列を見つけるだけではなく、〔番地のみを抽出するために〕任意の数字だけで構成された文字列を見つける必要があります。

ここで、エディタの検索ボックスにある正規表現オプションをオンにしましょう。すると、単に「1」を探すだけではなく、任意の一文字の数字を探すことができるようになります。正規表現では、角括弧の中にあるものはすべてマッチングの選択肢となります。以下の検索を試してみてください。

```
[1234567890]
```

これは「1または2または3または…を見つけなさい」という意味になります。正規表現をオフにしていると、このリテラル文字列を持つエントリは存在しない（つまり「[1234567890]」という番地は存在しない）ので、検索は失敗します。しかし、正規表現をオンにして検索ボタンを押し続けると、エディタがファイル内の各数字を次々と検出していくのが見て取れるはずです。正規表現とは、つまりこういうものなのです。

角括弧の中にはどんな文字でも入れることができます。自分で試して、仕組みをしっかりと理解してください。正規表現では、角括弧内のすべての文字を検索対象とします。心の中で、角括弧内の各文字の間に「or」を挿入すると、イメージしやすいかもしれません。

上の例では、すべての数字を入力しました。もし任意の文字を検索したければ、26 個のアルファベットすべてを角括弧で囲んで入力すれば、「a または b または…（以下略）」という検索をすることができます。しかし、文字や数字の範囲指定による正規表現検索はとてもありふれたものなので、次のとおり一般的な略記法があります。

```
[a-z]
[A-Z]
[0-9]
```

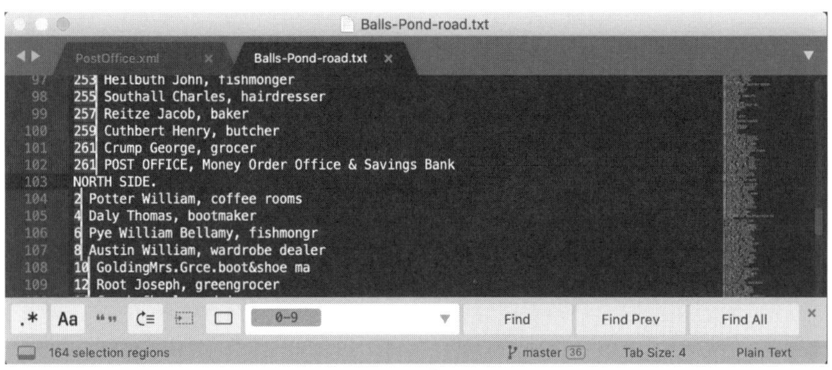

図 4.2　Sublime Text で作成した「Balls-Pond-road.txt」ファイル
（正規表現 [0-9] の検索によってすべての数字がハイライト表示されている）

[0-9] は [1234567890] と同じ結果が得られるはずです。試してみましょう。

この検索では、まだ 1 桁ごとの数字のマッチングを行っています。今私たちが取り組んでいる歴史研究上の課題では、長さ（桁数）を問わず、すべての住所番号を検出しなければなりません。この「長さを問わず」ということを表現するために、正規表現ではプラス記号「+」を使います。これは正規表現の 3 つの量指定子のうちの 1 つで、「直前の正規表現を 1 回以上繰り返したもの」

を意味します。直前の正規表現は、1文字で指定する場合もあれば「すべての数字」のような文字グループで指定する場合もあります。次の検索を試してみてください。

```
[0-9]+
```

これは、あらゆる数字の文字列にマッチし、数字ではないものが出てくるとそこで終わります。参照のため、表4.2に正規表現の3つの量指定子を示しておきます。とはいえ、この中で覚えておくべきものは、つねに使うことになる **+** です。

表4.2　正規表現における量指定子

量指定子	意味
+	1回またはそれ以上の繰り返し
?	0回または1回
*	0回以上の繰り返し

さて、この検索では、マッチしすぎていることにお気づきかもしれません。任意の数字を検索したため、ファイルの冒頭にある地図参照記号〔3行目のO4、O5、P5〕もヒットしてしまっているのです。これは構造化されていないテキストを扱うときによくある問題です。自分が欲しいものを正確に指定することは難しいのです。幸いこのケースでは、私たちが知りたいすべての住所番号のみを指定することができます。それは、住所番号はすべて行頭にあるということです。正規表現では、行頭を「**^**」で指定することができます。このキャレット記号は、行頭のみにマッチするよう文字列を位置指定する役割があります。次の検索を試してみましょう。

```
^[0-9]+
```

先ほど正規表現が簡潔だと述べた理由が、これでよく分かると思います。

嬉しいことに、この式には正規表現の検索で使用される主要なアイディアがすべて含まれています。すなわち、位置指定子「**^**」（マッチする位置）、文字クラス「[]」（マッチ対象となるもののリスト）、量指定子「**+**」（どのくらいマッチさせるか）です。

さて、正規表現の意味が分かったところで、上記の歴史研究上の問いをより掘り下げてみましょう。ファイル内の数字のパターンのみに着目することにして、私たちが思いついたアプローチをいくつか紹介します。みなさんは他にも思いつくかもしれません。

- ある通りでは、奇数番地と偶数番地が同じ数だけあるか？　もしそうであれば、その通りはきちんとサンプリングされている、つまり、より裕福である可能性が高いといえるか？[v]
- 〔枝番のついた〕「123A」のような住所と、単なる数字のみの住所の比率はどうか？　その比率によって、それがどのような性格の通りなのか判断できるか？　枝番のついた建物が多い場合、住民の社会階級について何か分かることがあるか？　しかし、ピーター・アトキンスがその著書の中で議論している住所録の採録方法（1つの住所につき1つのエントリーしか記載されない。ただし豊かな地区ではもっと記載されることもある）[4]によれば、このような情報はデータから失われてしまっているのだろうか？
- あるファイル内の住所の数を、予想される住所の数と比較することはできるか？　もしこれが可能なら、その通りがどれだけきちんとサンプリングされたかの目安となるか？　たとえば、20行あって最大番地が30である通りは、50行あって最大番地が95である通りよりも、多くサン

v　ロンドンの番地表示は原則として、通りの片側がすべて奇数、もう片側が偶数となっている。

プリングされている可能性がある（ただし、各ファイルの末尾の番地が必ずしも最大の数字になっていない点は厄介である）。

これらの問いを解決するため、のちほどテキストエディタではなくコマンドラインで正規表現を使ってみることにします。これによって、検索結果に対してより強力な処理をしたり、複数のファイルを一度に処理できるようになります。

最初に正規表現をテキストエディタで紹介し、その仕組みを具体的に理解してもらいました。しかし、テキストエディタでの正規表現が本当に優れているのは、検索と置換の場合です。パターンを検索できるのと同様に、パターンで置換することもできます。たとえば、ある一続きの散文内のすべてのパラグラフをピリオド〔.〕で終わらせたい場合を考えます。校正や目視確認をするまでもなく、正規表現を使って、パラグラフの最後に置かれている〔つまりピリオドの打たれていない〕すべての単語を検索し、それらを、同じ単語の後にピリオドを付けたものに置換することができます。単語が何であるかは問題ではありません。個々の検索・置換の動作によって、単語を見つけ、それを同じ単語とピリオドに置き換えていくだけです。

検索パターンと置換パターンを確実に見極めることができる限り、正規表現を使用することで、個々のファイルの操作を、手動の面倒な作業ではなく自動処理に変えることができます。この時間節約術を紹介しないわけにはいかないので、以下に例を示しましょう。先に進む前に、手持ちのテキストエディタで試してみてください。

検索と置換

Balls-Pond-road.txt ファイル内のすべての番地付き住所に、「House number: 」（コロンの後にスペースを入れていることに注意）という語句をつける、という作業を例にとりましょう。求める数字を探すための検索は次のとおりです。

```
^[0-9]+
```

ご存知のように、これは行頭の任意の数字にマッチします。今私たちは、どんな数字であれ番地を見つけるたびに、その前の部分に〔「House number:」という〕テキストを挿入しようとしています。これは実際には、各数字を「それ自身に」置換する必要があるということになります。これを行うためには、検索式全体を丸括弧で囲みます。

```
(^[0-9]+)
```

検索フィールドにこの数字を入力し、置換フィールドを空にして検索・置換を実行してみると、すべての番地が削除されてしまうでしょう。番地を残すためには、置換ボックスで、括弧内の検索結果を **$1** で示し、その前に新しいテキスト〔ここでは "House number: "〕を置けば良いのです。

```
House number: $1
```

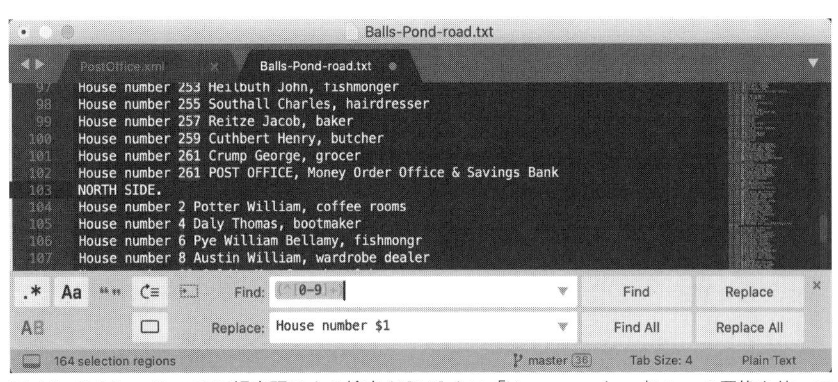

図 4.3　Sublime Text で正規表現による検索 (^[0-9]+) と「House number: $1」への置換を使って「House number: 」を追加する

$1 は、最初の括弧のセットを参照するための決まりで、キャプチャグループと呼ばれるものです。2つ目のセットを追加した場合は、**$2**でその括弧の中身を呼び出すことができます。以下同様です。5)

ここで行ったのは、シンプルな形式のマークアップです。テキストの中で、特に関心ある部分を探索しやすくするために、均一な方法でマークしたというわけです。こうすれば、正規表現を知らない人や使う気がない人であっても、「House number」でリテラルのテキスト検索をすれば、目当てのデータを見つけることができるでしょう。

いつものように、式を使って置換の練習をしてみることをお勧めします。まずは1組の括弧に慣れてから、2組、さらに3組、と増やしてみましょう。たとえば、以下のようにすると置換の順番を入れ替えることができます。

```
$2$1
```

こうすると、2番目にマッチした内容が、1番目にマッチした内容の前に置かれます。括弧内にまったく含まれないものは削除されます。

コマンドライン入門

コマンドラインとは、コマンドを入力してコンピュータとやり取りをするための、テキスト専用のウィンドウです。6) あまりピンとこないかもしれませんが、コマンドラインは、本書でとりわけ伝授したい技術です。コマンドラインを使えば、ほんのいくつかの単語を入力するだけで複雑なタスクを実行することができ、必要に応じて何千ものファイルを一度に扱うこともできます。テキストの集合を扱いたい歴史研究者にとっては、理想的なツールと言えるでしょう。図4.4は、典型的なコマンドラインの見た目の例です。

このテキストインターフェースを使えば、おなじみのグラフィカル・ユーザ・インターフェース（GUI）でできること、すなわちウェブブラウザ、電子メール、メディアプレーヤー、さらにはフォルダの一覧表示やファイルのコピーなど、システム全般にわたる作業を、ほとんどすべて行うことができます。本章と次章では検索について多く述べることになりますが、特に大規模なテキストの集合に対しては、テキストエディタでは扱えないがコマンドラインでは簡単に対応できる、という場合があります。[7]

コマンドラインを開くと、図4.4のようなプロンプトが表示されます。「$」という文字は、何かを入力待ちの状態であることを示しています。ここでは、コマンドを入力してリターンキーを押します。正しいコマンドを一つ入力すれば、プログラムが一つ実行されます。これがコマンドラインのパワーの源で、1つか2つの単語からなるコマンドで実行できるプログラムは何千もあります。これらのプログラムの多くは、それ自体は非常にシンプルで、「一つのことをうまくやる」という原則で書かれています。後で見るように、これらの単純なプログラムを数珠つなぎにすることで、大きな効果を得ることができます。

Python などのプログラミング言語を学べば、コマンドラインプログラムと同じことができるプログラムを書くことができます。しかし、あらかじめ組み込まれたコマンドラインプログラムは、Python よりも高速な言語で書かれて

```
bash — bash
bash-3.2:~$
```

図 4.4　コマンドライン

おり、たいへん効率的です。どうしてもコーディングを学びたいのであれば、コマンドラインプログラムと同じことを〔他のプログラミング言語で〕再現してみることは学習上は有益ですが、日常的に使うという観点から言えば、より遅く扱いにくい車輪を再発明するようなものです。

高速で柔軟性があるだけでなく、コマンドラインはあなたを一人前の大人のように扱います。つまり、「本当にこれをやりたいの？」と尋ね返すことはなく、与えられたコマンドをただ実行するのです。重要なファイルを削除したり上書きしたりするように頼んでも、即座に実行してくれます。頻繁にコマンドラインを使っていると、どこかでミスをしてしまう可能性は高いものです。重要なファイルに（実験ではなく）取り組んでいるときは、リターンキーを押す前に入力内容を読み返し、何が実行されるのかを確かめるようにしましょう。重要なファイルを扱う場合はいつでも、万が一うまくいかなかったときに状況を回復するための計画を立てておく必要があります。私たちがGit（第6章参照）に熱狂する理由は、本書の著者である私たち自身もたくさんのミスを犯し、しばしばGitが救世主となってくれたからです。Gitを使えば、フォルダを履歴上のある時点の状態に戻すことができるのです（重要なファイルを削除前の状態に戻すことも！）。

非常に洗練された方法でテキストを扱っている人文学の研究者の多くが、コマンドラインを怖がり、直感的に理解できないと感じているのは不思議なことです。実際に試してみれば、ごく少数のコマンドと、コマンドからコマンドへの出力の渡し方を理解するだけで、実現できるようになることは膨大にあるのです。

前述の方法〔90～92ページ参照〕でコマンドラインソフトウェアをインストールしたかまたは見つけたら、それを開いてみましょう。コマンドラインはデフォルトの作業場所〔カレントディレクトリ〕で開きますが、それが都合の良い場所ではないこともあります。Windowsでは、あるフォルダの中で右クリックするとコンテキストメニューが表示され、コマンドラインを開くことができます（「Open Git Bash here」や「Open Terminal here」のような文言

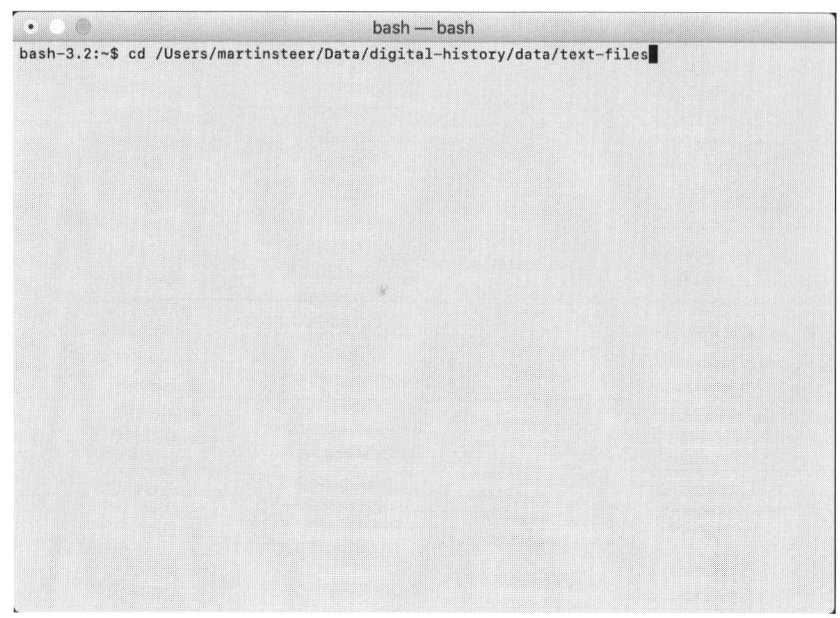

図 4.5　Mac のデフォルトのターミナル

図 4.6　Git Bash

が表示されるでしょう）。Macの場合は、まずターミナルを開きます。そしてFinderで目的のフォルダを見つけたら、Finderをターミナルウィンドウにドラッグすると、ターミナルはそのフォルダのパスを挿入してくれます。（図4.5）

まず、現在地の確認をするのが良いでしょう。基本的に、コマンドラインはつねに、ある一つのフォルダ〔カレントディレクトリ〕を指しています。そこで、はじめにコマンド **pwd** を試してみましょう（覚えやすいように補足すると、これは「print working directory〔作業フォルダを表示せよ〕」の略です）。コマンドラインに **pwd** と入力し、リターンキーを押してください。著者がこの章を執筆していたときには、**pwd** の結果は通常、

```
/home/jb/repos/digital-history
```

でした。私たちはこの本のテキストを「digital-history」という名前のGitリポジトリに保管していたのです。あなたの場合は異なる場所になるでしょう。ともあれ、現在どこにいるにせよ、どこか他の場所に移動したくなることもあるはずです。このフォルダパスを見ると、真上の階層が「repos」という名前であるのがわかります。コマンドラインでは、1つ上の階層、つまり親フォルダに移動するには次のコマンドを使います。

```
cd ..
```

cd は「change directory〔ディレクトリを変更せよ〕」の略です（「ディレクトリ」はUnix用語であり、Windowsでは「フォルダ」と呼びます。本書では「フォルダ」と表記します）。なお、**cd ..** と入力する代わりに、**cd** の後にサブフォルダの名前を入力すると、そのフォルダに1階層「下がる」ことになります。ともあれ、今は〔「digital-history」の一つ上の〕「repos」フォルダにいることに注意してください。「repos」の中の「digital-history」というフォルダに戻りたい場合は、次のように入力します。

```
cd digital-history
```

フォルダ名を入力するのは面倒ですね。しかし、コマンドラインには偉大な時間短縮機能、すなわちタブ補完があるので、ぜひ身につけておきましょう。〔入力途中の〕任意の時点でタブキーを押すと、コマンドラインはそのコマンドを完成させようとします。たとえば、私たちの「repos」フォルダ内には「m」で始まるサブフォルダは1つしかないのですが、その場合、現在「repos」フォルダにいるならば、次のように入力するだけで済みます。

```
cd m
```

そして、これに続けてタブとリターンキーを押します。自分で試してみようとしているのであれば（そうしてほしいと私たちは願っていますが）、当然の

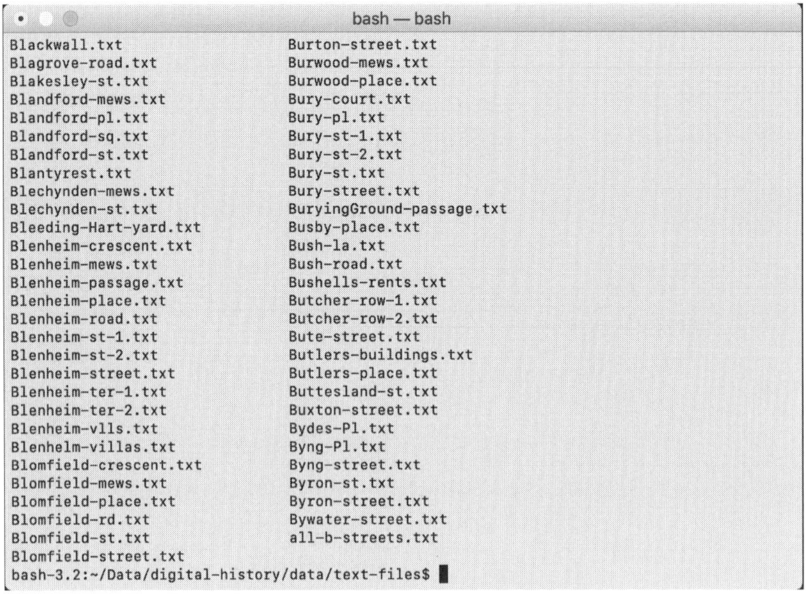

```
bash — bash
Blackwall.txt                   Burton-street.txt
Blagrove-road.txt               Burwood-mews.txt
Blakesley-st.txt                Burwood-place.txt
Blandford-mews.txt              Bury-court.txt
Blandford-pl.txt                Bury-pl.txt
Blandford-sq.txt                Bury-st-1.txt
Blandford-st.txt                Bury-st-2.txt
Blantyrest.txt                  Bury-st.txt
Blechynden-mews.txt             Bury-street.txt
Blechynden-st.txt               BuryingGround-passage.txt
Bleeding-Hart-yard.txt          Busby-place.txt
Blenheim-crescent.txt           Bush-la.txt
Blenheim-mews.txt               Bush-road.txt
Blenheim-passage.txt            Bushells-rents.txt
Blenheim-place.txt              Butcher-row-1.txt
Blenheim-road.txt               Butcher-row-2.txt
Blenheim-st-1.txt               Bute-street.txt
Blenheim-st-2.txt               Butlers-buildings.txt
Blenheim-street.txt             Butlers-place.txt
Blenheim-ter-1.txt              Buttesland-st.txt
Blenheim-ter-2.txt              Buxton-street.txt
Blenheim-vlls.txt               Bydes-Pl.txt
Blenhelm-villas.txt             Byng-Pl.txt
Blomfield-crescent.txt          Byng-street.txt
Blomfield-mews.txt              Byron-st.txt
Blomfield-place.txt             Byron-street.txt
Blomfield-rd.txt                Bywater-street.txt
Blomfield-st.txt                all-b-streets.txt
Blomfield-street.txt
bash-3.2:~/Data/digital-history/data/text-files$
```

図 4.7　**ls** で表示されるフォルダの内容

ことながら、ここで入力した文字で始まり、そのあとに補完すべき文字が続く名前を持ったサブフォルダが存在する必要があります。タブ補完は多くの場面で機能しますが、特に長いファイル名やフォルダ名を扱う際に便利です。 最後に、作業フォルダの中にどんなファイルやフォルダがあるのかを確認しましょう。これには **ls** というコマンドを使います。任意のフォルダで **ls**（どうやら「list」ではコマンドとして長すぎると判断されたのでしょう）と入力すると、ファイルとサブフォルダのリストが表示されます。（図4.7）

トラブルから脱け出すには

不完全なコマンドを入力すると、コマンドラインではカーソルが点滅するが何も入力できない状態になるか、あるいは改行されたうえでカーソルがインデントされた状態になることがあります（この場合、複数行にわたるコマンドが期待されています）。

このような場合は、コントロールキーと c キーを同時に押せば元に戻ります。

先に進む前に、コマンドラインによってファイルシステム内を自由に動き回る練習をしても良いでしょう。最初のうちは、通常のグラフィカルな操作方法（Windows エクスプローラなど）をコマンドラインウィンドウの横に置いておくと、自分がどこにいるのか、どこに行きたいのかを確認しやすくなります。自信がついてきたら、この方法を卒業して **cd**、**pwd**、**ls** で自由に移動できるようになるでしょう。

GREP

ここまでの説明が終わったところで、住所録に記載された住所のパターンについての問いに戻りましょう。そのためには、コマンドラインが提供する、ある特別な、きわめて便利なツールが必要になります。それが **grep** です。**grep** はもともと「global regular expression print」の略ですが、略さず言及されることはまずありません。事実上、元の形がほとんど忘れられている頭字語といえます。

おそらく、**grep** は歴史研究者が学ぶべき唯一の便利なコマンドです。**grep** は、一つまたは複数のファイル内を検索し、検索されたものを含む行のみを結果として返します。コマンドラインではよくあることですが、このコマンド自体はシンプルでありながら、他のコマンドと組み合わせることで威力を発揮します。

コマンドラインウィンドウを開き、先にダウンロードした郵便住所録のテキストファイル群が入っているフォルダに移動してください。**cd** を使って手動で移動するのが難しい場合は、前述の Windows および Mac 用のヒントを見てください。移動できたら、**pwd** と入力すると「data/text-files」で終わるファイルパスが表示されるはずです。

プロンプトで次のように入力しましょう。

```
grep "1" Balls-Pond-road.txt
```

タブ補完を覚えているでしょうか。次のようにタイプするだけで大丈夫です。

```
grep "1" Balls
```

これでタブキー、そしてエンターキーを押せば、図 4.8 のような画面が表示されるはずです。

ただちに、プロンプトが次のコマンドの入力待ちの状態になったのが分かるでしょう。これが返された結果の末尾です（**grep** は非常に高速なので、一瞬で表示され過ぎ去った検索結果の最初の部分は見えなかったかもしれません）。デフォルトでは、**grep** は行全体を表示します。ここでは「1」という数字を含む行を表示しています。

行頭の数字を見つけるための正規表現は、**^[0-9]+** でした。これを **grep** で試してみましょう。

```
bash-3.2:~/Data/digital-history/data/text-files$ grep "1" Balls-Pond-road.txt
1 Clarke John, baker
11 Stokes Nathaniel, hosier
13 Mitchell Miss Elizh. confectioner
15 Webb Frederick, butcher
17 Langton Joseph, clothes dealer
19 Rust Mrs. Jane, wine merchant
21 Chambers George, tailor
39 & 41 Jolly Charles Young, beer retailer
51 Dupont George, tailor
61 Geyton Charles Abbott, grainer
81 Lickfold William, greengrocer
101 Mitchell Jas. & Co. loan office
105 Pettit George, watchmaker
113 Miller James, carpenter
115 Dyson William, gasfitter
117 Manton Matthew, baker
119 Duke of Wellington, George Henry Bambridge
121 Gray William Charles
123 Wells Joseph John
127 Bressey Mrs
133 Sims & Dupont, costume mnfrs
137 Smith Charles
139 Harewood Mrs
141 Ewins Daniel John
143 Wilbraham Miss U. ladies' schl
147 Trewinard Benjamin
151 Rowley George
155 Parker Mrs
161 Pearce Mrs
```

```
12 Root Joseph, greengrocer
14 Crank Charles, dairyman
16 & 26 Rix John, hairdresser
26 & 16 Rix John, hairdresser
100 Warren George, hair manufctr
102 Allen Alfred, coffee rooms
104 Docwra Thos. & Son, contractrs
106 Fryer Thomas Nickells
108 Colston James
110 Thompson Mrs
112 Buttifant George
114 Marsh William. linendraper
116 Mainwaring Richd. tobacconist
118 Turner Edward Anstee, chemist
120 Mildmay tavern, Thos. Flowers
122 Bibbye Wm. & Alfred, shoema
124 CrowsonIsaac&Son,cheese fctrs
126 Strapp George, corn dealer
130 Davis John, confectioner
132 Thain Hy. John, leather seller
134 LeGrand Mrs. Marion, milliner
134A, Cole Fredk. Wm. cabinet ma
136 Lawrence Jhn. pictr. frame ma
138 Lewis Ansell, bootmaker
140 White Edward & Co. grocer
146 Ball's Pond Branch Dispensary
160 Garrett Saml. Chas. watchmkr
164 Bradford Frdk. house decorator
166 Ball's Pond Brewery Co
bash-3.2:~/Data/digital-history/data/text-files$
```

図 4.8a-b　grep "1" Balls-Pond-road.txt の実行結果

```
grep "^[0-9]+" Balls-Pond-road.txt
```

結果は何も返ってこないはずです。**grep** は、デフォルトではリテラルな文字列を検索します。テキストエディタで正規表現ボックスにチェックを入れたのと同様のことを、ここでも行う必要があります。コマンドラインでは、コマンドの直後に「フラグ」（ここでは **-E**）を置くことで対応します。

```
grep -E "^[0-9]+" Balls-Pond-road.txt
```

これは一見、あまり有用そうに思えないかもしれません。しかし、この行リストが入手できれば、それを使って他のことができます。つまり、さらに検索したり、リスト内の項目をカウントしたり、ソートしたりすることが可能です。コマンドラインの便利さを理解する上で重要なポイントは、リストから新たにリストを作る必要というものはしばしば起こるということです。これは、私たちがデジタルリソースをオンラインで検索するときにいつも行っていることです。たとえば詳細検索のフォームでフィルタを適用することは、コレクション全体のリストから検索結果のリストを作成することに他なりません。コマンドラインを使えば、この検索とフィルタリングのプロセスを簡単、高速、かつ柔軟に行うことができ、またファイル内のテキストの行を直接扱うことができます。

私たちの問いの一つに、住所のカバー率がありました。潜在的な住所数に比べて、どのくらいの数の住所が実際に記載されているのでしょうか。先に述べたように、これはその通りがどれだけきちんとサンプリングされているかを教えてくれるかもしれません。正規表現と別の **grep** のフラグ（今回は **-c**）を使って、私たちのデータをカウントすることができます。これは、行自体を返すのではなく、正規表現とのマッチを含む行の数をカウントして返します。

```
grep -Ec "^[0-9]+" Balls-Pond-road.txt
```

コマンドラインは次の結果を返すはずです。

```
164
```

これはもちろん、数字で構成された住所をカウントするものですが、手がかりとなる概数としては役に立ちます。さて、大雑把に言って、サンプリング比率を見るためには、最大の番地がいくつになっているかを見る必要があります。カウンティングのフラグ〔**-c**〕なしで **grep** 検索を実行したところ、結果の末尾付近のアドレスは以下のとおりでした。

```
grep -E "^[0-9]+" Balls-Pond-road.txt
```

（実行結果）

```
...
140 White Edward & Co. grocer
146 Ball's Pond Branch Dispensary
160 Garrett Saml. Chas. watchmkr
164 Bradford Frdk. house decorator
166 Ball's Pond Brewery Co
```

奇妙ですね。奇数番地がなく、また住所の総数（164）が最大の番地（166）より小さくなっています。Balls Pond Road の偶数番地の部分が、ファイルの最後に記載されているようです。

リスト全体に目を通すことなく奇数番地を調べるには、どうすれば良いでしょうか？　「リスト全体を見れば済む話じゃないか」と思うかもしれませんが、私たちとしては、数千・数百万にのぼる検索結果を持つような膨大なデータセットに対しても使える手法を紹介したいのです。そこで、**grep** にリスト全体を調べてもらうことにします。

一つの方法としては、正規表現を微修正して、奇数だけを表示させることができます。文字クラス、つまり角括弧の中には一つのオプションしか許されないことを思い出すならば、単に角括弧の中へ奇数を書いておけば良いでしょう。ここで、**grep** が住所の行の残りの部分を表示するのが邪魔に思えるかもしれません。そこで、別のフラグである **-o** を追加しましょう。これは、行全体ではなくマッチした部分「だけ」を表示させるよう **grep** に指示するものです。（図4.9a-b）

```
grep -Eo "^[13579]+" Balls-Pond-road.txt
```

しかし、やってみると分かりますが、これでは各桁が奇数のみからなる文字列しか得られません。実際には、下1桁が奇数である任意の数字が必要なのです。そこで、数字の検索を2つの部分に分けて行う必要があります。（図4.10a-b）

```
grep -Eo "^[0-9]*[13579] " Balls-Pond-road.txt
```

正規表現がだんだん複雑になってきましたが、めげないでください。ある一定の長さを超えると、誰にとっても読みづらいものです。この式を理解する一番の方法は、小さな変更を加えて実行してみて、違いを確認することです。複雑な正規表現をゼロから書くには、全体を一度に書くのではなく、段階的に組み立てていくのが最良の方法です。

最後に挙げた正規表現を見ると、閉じ引用符〔"〕の前にスペースが一つ入っていることに気づくでしょう。理由はお分かりでしょうか？　微妙な違いですが、このスペースがないと、たとえば「138」のような番地の「先頭」にマッチしてしまうのです。この場合、スペースを入れないと、「1」の桁と「3」の桁が合わさり、「0から9までの0個以上の数字（この場合は1個）のあとに

1個の奇数が続く」という基準にマッチしてしまいます。8はマッチしないので、**grep** は結果の1つとして「13」を返します。スペースを入れておけば、このようなことは起こりません。

なぜ **+** ではなく ***** を使うか、お分かりでしょうか。これは、たとえば「7」のような1桁の数字も含むすべての奇数を求めたいからです。**+** を使った場合、奇数の直前に「少なくとも1桁の数字」が来ることを意味するので、結果として17は得られますが、7は得られません。一方、***** は「0桁を含む任意の桁数の数字」を意味し、ここで欲しい結果を得ることができます〔表4.2の量指定子の一覧を参照〕。試しに、**+** と ***** を入れ替えて結果の違いを確認してみてください。

ここまで、**grep** の挙動を変更するフラグをたくさん紹介してきました。実のところ、本当に重要なものはこれでほとんどです。参考までに、もっとも有用な **grep** のフラグの一覧を表4.3に示しておきます。特にご自分のデータに対して、これらを試したり組み合わせて使ってみたりすることをお勧めします。

表4.3　便利な grep のフラグ

フラグ	効果
-i	大文字・小文字を区別しない
-h	ファイル名を削除する
-c	カウントした結果の数を返す
-n	行番号を表示する
-E	正規表現〔正確には「拡張正規表現」〕を使う
-v	マッチ「しない」行を返す
-r	サブフォルダのファイルも検索する
-o	〔行全体ではなく〕マッチした文字列のみを返す

ここまでで覚えたことを使えば、2つの別々の **grep** によって、Balls-Pond-

```
bash — bash
bash-3.2:~/Data/digital-history/data/text-files$ grep -Eo "^[13579]+" Balls-Pond-road.txt
1
3
5
7
9
11
13
15
17
19
37
39
51
53
55
73
77
79
93
1
1
113
115
117
119
1
1
1
133
```

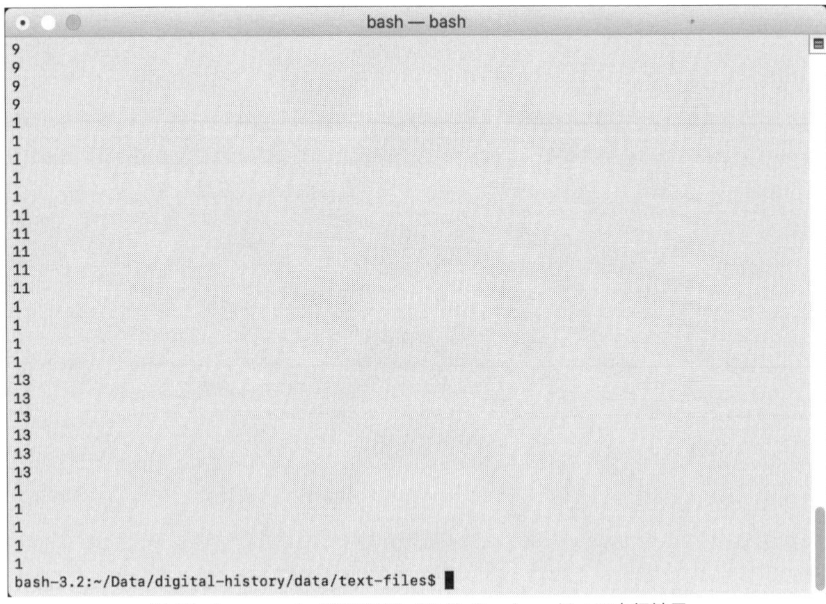

```
bash — bash
9
9
9
9
1
1
1
1
1
11
11
11
11
11
1
1
1
1
13
13
13
13
13
13
1
1
1
1
1
bash-3.2:~/Data/digital-history/data/text-files$
```

図 4.9a-b　grep -Eo "^[13579]+" Balls-Pond-road.txt の実行結果

```
bash — bash
bash-3.2:~/Data/digital-history/data/text-files$ grep -Eo "^[0-9]*[13579] " Balls-Pond-road.txt
1
3
5
7
9
11
13
15
17
19
21
23
25
27
29
37
39
43
47
49
51
53
55
61
73
77
79
81
```

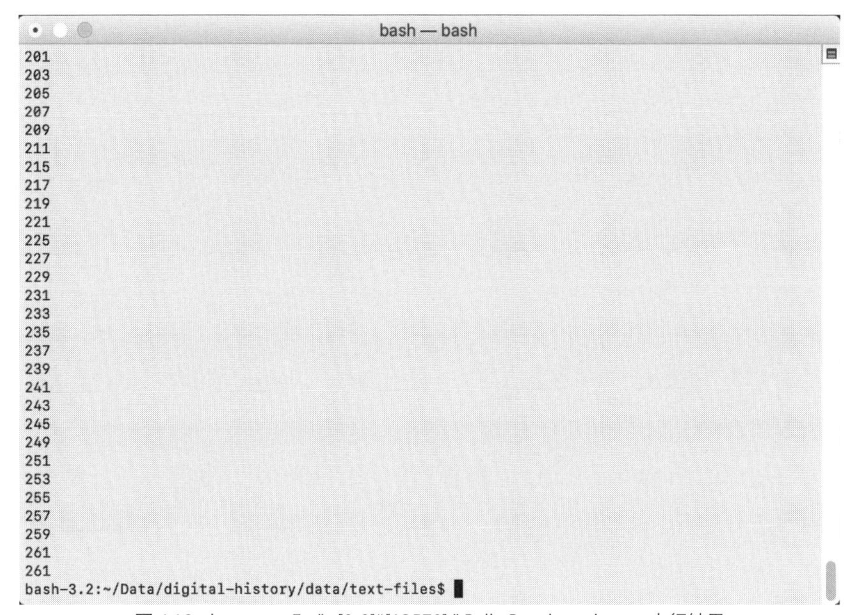

図 4.10a-b　grep -Eo "^[0-9]*[13579] " Balls-Pond-road.txt の実行結果

road.txt に含まれる奇数住所の文字列と偶数住所の文字列の数を表示することができます。[8] 私たちがやってみたところ、奇数住所が 91 個、偶数住所が 72 個見つかりました。他に情報がありませんが、この〔奇数・偶数で数が異なるという〕結果は、データに一貫性が欠如していることを示唆しているように思われます。これは単なる偶然でしょうか？

この 2 つの結果をより詳細に見て、比較的代表的と思われる奇数番号と偶数番号に何か違いがあるかを確認する必要があります。結果を同じフォルダ内の 2 つの別々のファイルに書き込むことができれば、任意のテキストエディタで見られるようになるでしょう。**grep** やその他のコマンドの結果を新しいファイルに書き込む方法は、次のとおりです。

```
grep -E "^[0-9]*[13579] " Balls-Pond-road.txt > odds.txt
grep -E "^[0-9]*[02468] " Balls-Pond-road.txt > evens.txt
```

山括弧「**>**」は、**grep** の結果を画面に表示するのではなく、そのコマンドで新規作成されるファイルに書き込みます。同じ名前のファイルがすでに存在している場合は、上書きされてしまうことに注意してください。

コマンド同士をパイプで接続する

これまで、コマンドラインの威力はシンプルなコマンドを連結することにあると言ってきましたが、ようやくそれがどのように機能するかをお見せする時が来ました。**grep** にはもう慣れたことと思います。**grep** 単体では、これまでに試してきたこと以上のことは実際あまりできません。

ところで、〔**grep** の〕結果は、画面上でページ送りで表示させることも可能です。そのためには **grep** プログラムの結果を、前後のスクロールを可能にする less という別のプログラムに送る必要があります。これにはパイプ記号（|）を使います。このパイプという方法は強力で、このあとすぐにもっと活用する

図 4.11　grep -Eo "^[0-9]*[13579] " Balls-Pond-road.txt | less の実行結果

ようになるでしょう。まずは、次のコマンドを試してみてください。(図 4.11)[vi]

```
grep -E "^[0-9]*[13579] " Balls-Pond-road.txt | less
```

これまで **grep** の結果を表示したときは、画面に収まる限りで結果の末尾部分まで一気に進んでいました。それに対し、**less** プログラムでは、**grep** の結果を一画面分ずつ表示し、矢印キーで上下に移動することができます。終了してプロンプトに戻るには、**q** を押します。そして同じことを次のように試してください。

```
grep -E "^[0-9]*[02468] " Balls-Pond-road.txt | less
```

vi　図 4.11 では本文にある grep -E ではなく、grep -Eo の例が表示されている。

結果をスクロールしてみると、奇数番号には、（居住者の職業が特定されていないため）個人住宅である住所がより多いように感じられます。たとえば、以下のようなものです。

```
171 Hinley Mrs
```

これを、次のものと比べてみましょう。

```
173 Holloway Frederick, auctioneer〔競売人〕
```

個人住所の特徴としては、行のどこにもコンマがないということがあるようです。これはきわめて単純なパターンであり、一般化はできません（自分で検索を試している方は、たとえば60番地の住所〔名前と職業の間にコンマがない〕を見れば分かるでしょう）。それでも、この方法は個人住所と商業住所の数を比較するために使うことができます。

grepのフラグ一覧〔表4.3参照〕を見ると、検索パターンに「含まない」行を返すフラグが1つあることが分かります。それが**-v**です。たとえば、あるファイルの中から数字をまったく含まない行をすべて見つけるには、次のようにします。

```
grep -v "[0-9]" Balls-Pond-road.txt
```

フィルターとカウントを同時に行うために**-v**フラグを使用することにしましょう。**grep**を2番目の**grep**コマンドにパイプすることで、**grep**の結果をフィルタリングすることができます。はじめにこれを試してみてください。

```
grep -E "^[0-9]*[13579] " Balls-Pond-road.txt | grep ","
（この実行結果は、通りの奇数番地側の商業物件です。）
```

```
grep -E "^[0-9]*[13579] " Balls-Pond-road.txt | grep -v ","
```
（これは主に、通りの奇数番地側の非商業的な物件です。）

はっきりさせておきたいのは、これらのコマンドの2番目の **grep** は、ファイルを検索しているわけではないということです。最初の **grep** の結果だけを検索しているのです。何が起こっているのかを可視化するために、まず結果を新しいファイルに書き込み、次にその新しいファイルの検索を別個に行うというプロセスを考えてみましょう。そのためには、次のような一連のコマンドが必要です。

```
grep -E "^[0-9]*[13579] " Balls-Pond-road.txt > newfile.txt
```

それから、

```
grep "," newfile.txt
```

となります。しかしパイプを使えば、newfile.txtのような中間ファイルを必要とせず、パイプを追加するたびに、それぞれの結果のセットを操作することができます。結局、私たちが欲しいのは最終的な結果だけなので、パイプを使った方がはるかに速いといえます。

一連のパイプの中で何が行われているのか、心の目で理解するのは難しいかもしれません。もし不明な箇所があれば、中間結果を画面に表示したりファイルに送ったりして、正確な内容を確認すれば良いのです。練習を積めば、一連の流れの各部分を頭の中でより明瞭に把握することができるようになるでしょう。

ここまで、何が起こっているのかを明確にするために、結果をカウントするのではなく表示するようにしてきました。フィルタリングが正しく行われていることが確認できたので、代わりにカウントしてみましょう。

```
grep -E "^[0-9]*[13579] " Balls-Pond-road.txt | grep -c ","
grep -E "^[0-9]*[13579] " Balls-Pond-road.txt | grep -cv ","
grep -E "^[0-9]*[02468] " Balls-Pond-road.txt | grep -c ","
grep -E "^[0-9]*[02468] " Balls-Pond-road.txt | grep -cv ","
```

最初の **grep** ではなく、2 番目の **grep** に **-c** フラグが付いていることに注目してください。理由は分かりますか？　もし分からなければ、パイプを使わずにコマンドを分解してみて、それぞれの **grep** で何が起こっているかについてのメンタルモデルを強化してください。得られた結果を表 4.4 に示します。

表 4.4　商業施設と住宅を grep した結果

	商業施設	住宅
奇数番地	60	31
偶数番地	50	22

このように表示してみると、結局のところ、通りの片側がもう片側に比べて、住宅の比率が特に大きいといったことはなさそうに見えます。しかし、私たちはコーパス全体を通じて住宅と非住宅の物件を素早くカウントするための方法を発見できたのかもしれません。これらの商業物件には当然のことながら住人がいるかもしれませんが、純粋な住宅とは種類が違うと考えて問題ないでしょう。たとえ、データにノイズがあって 2 種類の物件タイプの完璧なリストを作成できないとしても、コーパス全体の中で、商業メインの通りや住宅メインの通りを見いだすことができるかもしれません。本章の最後では、Balls Pond Road のファイルだけでなく、すべてのファイルを検索する方法を見てみることにしましょう。

これまで、私たちは数字だけを含む住所をカウントしてきました。十分な規模で作業していれば、これは許容できる単純化であると判断するかもしれません（し、そうでないかもしれません）。ともあれ、今は一つの通りだけに注目しているので、数字だけではなくその先を考えてみましょう。

数字を含まない住所をリストアップしてカウントする方法は何でしょうか。言い換えると、図4.12のような結果を得るにはどうすれば良いでしょうか。最初に紹介した、行頭の数字を探す正規表現を思い出してください。まず、その反対のこと〔つまり数字を含まない行を探すこと〕をしたいのですが、それは **-v** フラグを追加すれば可能です。

```
grep -Ev "^[0-9]+" Balls-Pond-road.txt
```

結果には大量のノイズが出てきますが、これは **grep** ではごく普通のことです。〔Balls Pond Road に〕交差する別の通り（テキスト中では「here is」と目印がついています）や、通りの北側〔NORTH SIDE〕と南側〔SOUTH SIDE〕を示す見出しについては、次のように追加の **grep** でフィルタリングすれば取り除くことができることを思い出しましょう。

```
grep -Ev "^[0-9]+" Balls-Pond-road.txt | grep -v "here is"
| grep -v "SIDE”
```

そして、必要に応じて、**grep** の追加によりノイズのパターンを1つずつ減らしていくことで、さらにクリーニングを行うことができます。

```
grep -Ev "^[0-9]+" Balls-Pond-road.txt | grep -v "here is"
| grep -v "SIDE” | grep -v "MAP" | grep -v "Ball's Pond" vii
```

vii　Balls-Pond-road.txt の1行目では「Ball's Pond road」（アポストロフィあり）となっているため、このコマンドではアポストロフィ入りの「Ball's」でノイズ消去を行っている。

```
bash — bash
bash-3.2:~/Data/digital-history/data/text-files$
Ball's Pond road (N.),
Essex road, Islington, to Kingsland road.
MAP O4, O5, P5.
SOUTH SIDE.
Gadsby William
CONGREGATIONAL CHAPEL
here is Culford road
here is Southgate road
Butt Frederick, shopkeeper
Mosedale Jas. veterinary surgn
here is Cross street
NORTH SIDE.
Eldridge George, machinist
here is Stanley road
here is Canterbury road
here is Kingsbury road
CUTLERS' ALMSHOUSES
 METROPOLITAN BENEFIT SOCIETY'S ASYLUM, Henry Patient sec
BOOKBINDERS' PROVIDENT INSTITUTION, J. Jeffrey, sec
here is King Henry's walk
here is Mildmay park
West David Ormond, surgeon
bash-3.2:~/Data/digital-history/data/text-files$
```

図 4.12　grep -Ev "^[0-9]+" Balls-Pond-road.txt の実行結果

図 4.12 の中から、さらに調査が必要になりそうな 9 つの物件が得られるでしょう。

それでは、1 つの通りだけでなく、〔「text-files」フォルダ内の〕サンプルに含まれるすべての通りを相手にすることにしましょう。通りは全部で 591 本あり、それぞれが 1 つのファイルに対応しています。すべてのファイルを同時に **grep** する場合、特定のファイル名の代わりに、「*****」をワイルドカードとして使用します。これは「ファイル名のこの部分にある任意の文字列」を意味します。つまり、「***.txt**」は「そのフォルダ内にある、「.txt」で終わるファイル名を持つファイルすべて」という意味になります。

```
grep -E "^[0-9]" *.txt
```

この方法では大量の結果が返ってくるので、矢印キーを使って上下にページ

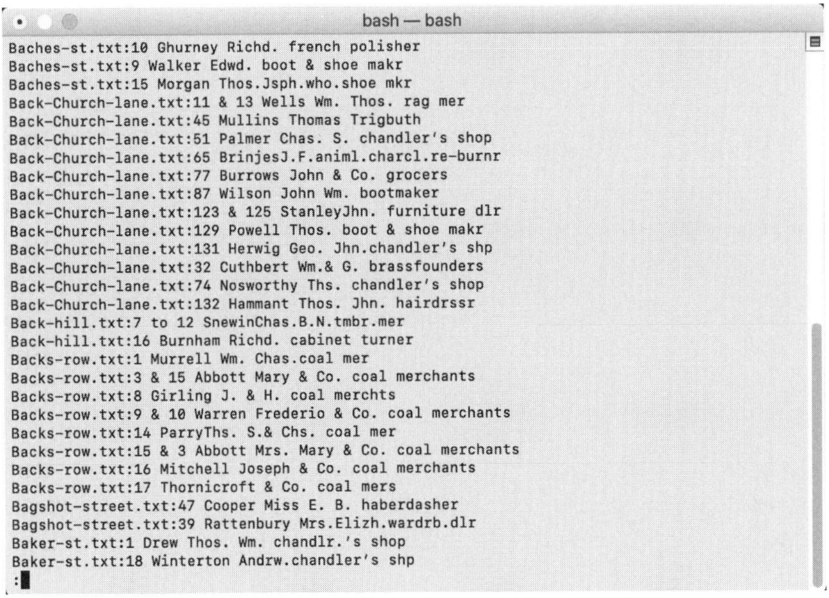

```
bash — bash
Baches-st.txt:10 Ghurney Richd. french polisher
Baches-st.txt:9 Walker Edwd. boot & shoe makr
Baches-st.txt:15 Morgan Thos.Jsph.who.shoe mkr
Back-Church-lane.txt:11 & 13 Wells Wm. Thos. rag mer
Back-Church-lane.txt:45 Mullins Thomas Trigbuth
Back-Church-lane.txt:51 Palmer Chas. S. chandler's shop
Back-Church-lane.txt:65 BrinjesJ.F.animl.charcl.re-burnr
Back-Church-lane.txt:77 Burrows John & Co. grocers
Back-Church-lane.txt:87 Wilson John Wm. bootmaker
Back-Church-lane.txt:123 & 125 StanleyJhn. furniture dlr
Back-Church-lane.txt:129 Powell Thos. boot & shoe makr
Back-Church-lane.txt:131 Herwig Geo. Jhn.chandler's shp
Back-Church-lane.txt:32 Cuthbert Wm.& G. brassfounders
Back-Church-lane.txt:74 Nosworthy Ths. chandler's shop
Back-Church-lane.txt:132 Hammant Thos. Jhn. hairdrssr
Back-hill.txt:7 to 12 SnewinChas.B.N.tmbr.mer
Back-hill.txt:16 Burnham Richd. cabinet turner
Backs-row.txt:1 Murrell Wm. Chas.coal mer
Backs-row.txt:3 & 15 Abbott Mary & Co. coal merchants
Backs-row.txt:8 Girling J. & H. coal merchts
Backs-row.txt:9 & 10 Warren Frederio & Co. coal merchants
Backs-row.txt:14 ParryThs. S.& Chs. coal mer
Backs-row.txt:15 & 3 Abbott Mrs. Mary & Co. coal merchants
Backs-row.txt:16 Mitchell Joseph & Co. coal merchants
Backs-row.txt:17 Thornicroft & Co. coal mers
Bagshot-street.txt:47 Cooper Miss E. B. haberdasher
Bagshot-street.txt:39 Rattenbury Mrs.Elizh.wardrb.dlr
Baker-st.txt:1 Drew Thos. Wm. chandlr.'s shop
Baker-st.txt:18 Winterton Andrw.chandler's shp
:
```

図 4.13　grep -E "^[0-9]" *.txt | grep -v "," | less の実行結果

を移動できるように、再び **less** を使用します。

```
grep -E "^[0-9]" *.txt | less
```

デフォルトでは、複数のファイルを検索した場合、**grep** はまずファイル名を表示し、その後にそのファイル内の結果を表示することに留意してください。結果を見てみると、Balfour Road のように、基本的に住宅地である通りが実際にあることが分かります。Back Church Lane など、主に商業地である通りもあります。

ページを進めていくと、判断の根拠として使えるかもしれないと考えていた例のコンマがない商業物件がかなりあることに気づくかもしれません。これは、コンマのある行を除外することで確認することができます。つまり、**grep -v** にパイプするのです。（図 4.13）

```
grep -E "*[0-9]" *.txt | grep -v "," | less
```

これではっきりしました。コンマはよく脱落します。おそらく、行が長いため植字工がスペースを節約する必要がある場合に、特に省略されやすいのでしょう。

私たちは今、データの乱雑さの問題に直面しています。コンマがあれば商業物件を示していそうですが、コンマがない場合はそれほど信頼できません。本章では非構造化データを見てきましたが、その限界も分かってきました。次章では、構造化データとその調査方法について説明します。

確認テスト

本章で紹介した技術の理解度を確認するため、**grep** と正規表現を使って以下の問題に答えてみましょう。

1. Balls Pond Road には、番地の後に枝番のアルファベットが付いているような、細分化された物件はありますか？（ヒント：これまで、紹介しただけでまだ明示的に使っていなかった文字クラスを正規表現に使う必要があります）
2. それぞれのファイルごとに最大の数字の番地を見つけたい場合、***.txt** を使ってすべてのファイルを相手に **grep** を実行すると、パイプの挙動に起因する、ある問題がすぐに発生します。その問題とは何でしょうか？もし分からなければ、実際にやってみるとはっきりするかもしれません。
3. 番地のない住所については、まだきちんと調査していません。立派な建物でも、公式に番地が付与されていない場末の通りでも、番地がないケースはありそうです。すべてのファイルから、番地のない行をすべて呼び出して、一覧することができるでしょうか？　その通りに交差している別の通りを示す行やその他のノイズを除去する方法には、どのようなものがあるでしょうか？

さて、これで正規表現と **grep** が提供するツールのほとんどを使いました。パイプを使えばもっと複雑なことができますし、次章ではさらにいくつかのコマンドについて説明しますが、その可能性を体得して使いこなせるようになるには、実践あるのみです。私たちが用意したプレーンテキストファイルに対して、あなた自身の歴史研究上の問いを立て、**grep** と正規表現を使ってデータを調査してみましょう。

1 Barney, *The Etymologies of Isidore of Seville*, I.xli.〔セビリアのイシドルス『語源論』(Etymologiae)の「歴史(historia)」の項より〕

2 Hitchcock, 'Confronting the Digital', 19.

3 Atkins, *The Directories of London: 1677-1977*, p.124 ff.

4 Atkins, *The Directories of London: 1677–1977*.

5 なお、テキストエディタの中には、キャプチャグループをマークするために **\(** と **\)** を使い、キャプチャグループを呼び出すために **$1** の代わりに **\1** を使うものがありますが、比較的少数です〔付録3を参照〕。

6 用語に関する注意。本書では「コマンドライン」を採用していますが、同じ意味で「シェル」や「ターミナル」などの語が使われているのを見ることがあるでしょう。またコマンドラインは、通常Bashと呼ばれるデフォルトのプログラムを実行するので、「Bash」も同じ意味で使われることがあります。コマンドラインで何かやりたいことがある場合、たいていウェブで検索すれば説明は見つかりますが、「コマンドライン」だけでなく、これらのさまざまな用語も使われているということに留意してください。

7 非常に大きなファイルをテキストエディタで開くと、プログラムは一度に全体をメモリに読み込む必要があるため、対応できるファイルのサイズには制限があります。一方、ほとんどのコマンドラインプログラムでは、一度に1行ずつメモリに取り込むため、時間はかかっても巨大なファイルを処理することができます。

8 `grep -Ec "^[0-9]*[13579] " Balls-Pond-road-txt` および `grep -Ec "^[0-9]*[02468] " Balls-Pond-road-txt`

第5章

テキストを扱う (2)：構造化テキスト

前章では、**非構造化**形式でテキストに書き起こされた Balls Pond Road の記述について詳しく見ました。正規表現を使うことでテキストのいくつかの特徴を判別することができるようになったとはいえ、交差する別の通りについての記述や地図の参照情報などがデータのノイズとなり、処理が煩雑になっていました。本章では、同じデータを XML で**構造化**したものを詳しく検討し、構造化がどのような利点をもたらすのか、また、それでも残される課題はどのようなものなのかを見てみることにしましょう。

歴史研究者が出会う構造化されたデータ形式は、XML であることが多いでしょう。XML は連続的なテキストと相性が良いためです。そこで、この章では XML に焦点を当てていきます。第 2 章では、他の一般的なフォーマットとして CSV と JSON にも触れました。JSON の扱いは本書の範囲外ですが、CSV はこれまで説明したコマンドライン技術で処理しやすい形式です。第 7 章では、CSV（および良く似た形式の TSV）を扱うことになるでしょう。付録 2 のコマンドライン一覧では、**cut** コマンドを使って CSV ファイルから特定の列を抽出する方法を紹介しています。

XML はゼロから作成するよりも出来合いのものを扱う方が楽なので、まずは郵便住所録データの XML 版を使うことにしましょう。本章の最後では、独自に XML を作成してテキストをマークアップする際の注意点をざっと紹介します。

テキストエディタは、XML ファイルを閲覧したり、ちょっとした変更を加えたりする場合に便利なツールです。後ほど説明しますが、独自の XML ファイルを作成する際には専用の XML エディタを使用するとより簡単です。

構造化されていない形式で Balls Pond Road に取り組んだときには、行頭・行末の扱いや、コンマの有無などが主な課題となりました。XML のような構造化されたデータにはより多くの可能性があり、たとえば次のような問いを検討することができます。

- 職業を頻度順に並べることができるか？
- 女性の職業を、婚姻状況によってソートできるか？
- 女性は、より長い通りに住んでいる傾向があるか？　また、それは何を意味するか？
- 女性は、職業的な通りと家庭的な通り、どちらの方により多く住んでいるか？

それでは、リポジトリの「XML」フォルダにある「Balls-Pond-road.xml」をテキストエディタで開いてください。ファイルの冒頭部分は次のようになっています。

```
<street>
<head>Ball's Pond road (N.),</head><head2><i>Essex road,
Islington, to Kingsland road</i>.</head2>
<map>MAP O4, O5, P5.</map>
<side>SOUTH SIDE.</side>
<addr>1 Clarke John, baker</addr>
<addr>3 Alder Charles, umbrella maker</addr>
<addr>5 Hide George, haberdasher</addr>
```

今まで見てきたのは単なるプレーンテキストですが、これは山括弧で囲まれて（「マークアップ」されて）います。個々の住所は、次のように同じ形式でマークアップされています。

```
<addr>1 Clarke John, Baker</addr>
```

<addr> は開始タグ、**</addr>** は終了タグで、これらがセットになったものを要素（element）と呼びます。両タグがセットで一つの組になっていることが見て取れるでしょう。ただし、終了タグでは最初の山括弧の後にスラッシュ〔/〕を付けます。XML は要素の名前をあらかじめ規定している訳ではありません。私たちは、この特定の文書をマークアップするのに適したタグ名の一つとして「addr」という名前を採用しました。XML 要素は、開始タグと終了タグが〔同じ名前で〕対応している必要があります。また、タグは大文字と小文字を区別するので、**<addr>** と **</Addr>** の組合せでは要素を構成できないことに注意してください。

さしあたり、その他の XML のルールとしては、完備された要素群はマトリョーシカのように完全に入れ子になっていなければならず、オーバーラップ〔<a><b></a></b> のように互い違いになること〕してはいけない、ということだけを挙げておきます。「Balls-Pond-road.xml」ファイルの冒頭と末尾を見ると、すべての要素が **<street>** 要素の中に入れ子状に含まれているのが分かるでしょう。

```
<street> 他のすべての XML 要素 </street>
```

このような要素（ここでは **<street>**）は「ルート要素（root element）」と呼ばれます。すべての XML ファイルはルート要素を一つ持たなければなりません。

XML の重要な側面の一つは、通常、マークアップされたものはレイアウト上の機能ではなく、「意味」を示すということです。マークアップは意味に関するものなのです。たとえば、**<addr>** という要素名は、住所をマークアップするために私たちが決めたものですが、これは実際に住所（address）を表している、ということが分かるようにするためです。本章の最後では、XMLの柔軟性を示すために、マークアップすべき他の意味的な特徴を選び出し、それらのための独自の要素名を考え出してもらいたいと思います。

テキスト内の住所がすべてマークアップされることで、構造化されていないテキストの場合よりも多くの問いを立てることができるようになります。また、XMLはプレーンテキスト形式なので、これまで使ってきたツールである**grep**がそのまま使えます。

女性の職業

住所がマークアップされたことによって確実に住所を抽出できるようになったので、次は記載されている住人の性別を見ていくことにしましょう。第3章でこの住所録を紹介したときに述べたように、女性には敬称（主にMissやMrs）が添えられていますが、男性には通常添えられていません。これを利用して、たとえば、さまざまな通りにおける男女比を調べることができます。また、職業についても男女別に調べることができるかもしれません。数えたり、フィルタリングしたり、ソートしたりすることは、退屈に聞こえるかもしれませんが効果的な検索の核心であり、前章で述べたとおり、データの中にある興味深いパターンをしばしば明らかにしてくれます。本章の後半では、これらのツールを使って、データの中の女性と男性それぞれにもっとも多い職業をリストアップする予定です。

手はじめに、男性に敬称がついていないことを確認できるでしょうか？　最初にできることは、コマンドラインで「Mr」を検索することです。カレントディレクトリが「XML」フォルダになっていることを確認してください（フォルダの移動方法については第4章を参照)。そして次のように入力します。

```
grep "Mr" *.xml
```

ここでは単にデフォルトの**grep**を使っているので、行全体が結果として返ってきます。「Mrs」という語も結果に含まれてしまっているのが分かるでしょう。「Mrs」を除くには、**grep -v** が使えます。

```
grep "Mr" *.xml | grep -v "Mrs"
```

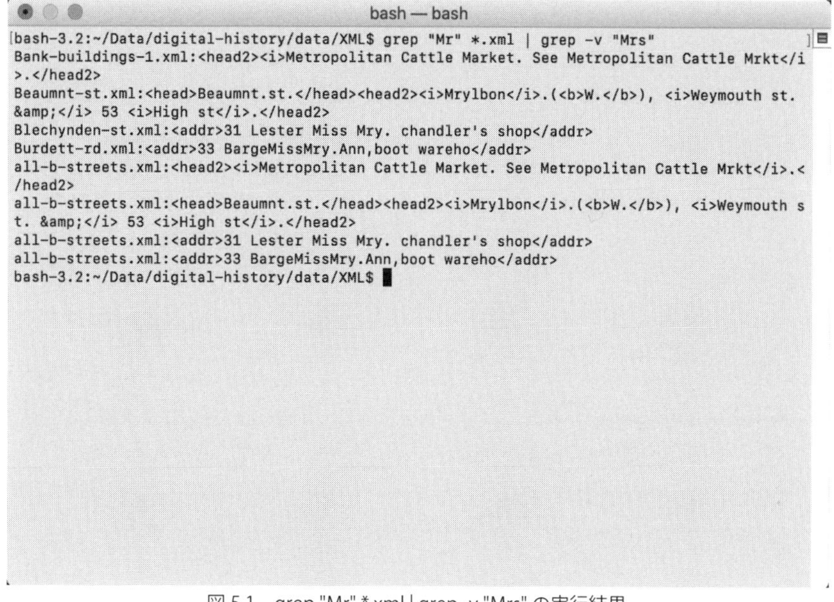

図 5.1　grep "Mr" *.xml | grep -v "Mrs" の実行結果

結果として残ったのは、「Mary」の短縮形〔Mry.〕のようです。この短縮形は住所録の紙幅の関係で使われたのでしょう。

男性の他の敬称についてはどうでしょうか？　この検索を簡単にするために、同じフォルダの中に「all-b-streets.xml」というファイル（上の検索結果の中に出てきたのを目にしたと思います）を用意しておきました。[1] この一つのファイルから「Sir」を検索するためには、次のようにします。

```
grep "Sir" all-b-streets.xml
```

Sir は複数いることが分かりました。**grep -c** でカウントすると 40 件という結果になります。このデータセットからこの 40 件の結果を単純に省いて差し支えないでしょうか？　今、手元には XML 形式のデータがあるので、全住所をカウントすれば〔全体に対して Sir が占める〕基本的な比率を知ることができます。

```
grep -c "<addr>" all-b-streets.xml
```

全部で 14,021 件の住所が見つかりました。Sir〔40 件〕は全体の 0.29% にすぎないので、このデータでは「Sir」の出現率は無視して良いでしょう。驚くべきことではありませんが、職業名（たとえば「肉屋」など）の併記された Sir は存在しなかったので、敬称を使って男女別の職業を見つけようとする場合、〔Sir を含む 40 行は〕結果に影響を及ぼすことはないと思われます。もっとも、〔Sir はナイトや准男爵の称号なので〕これはサンプルの中でもっとも裕福な通りを選び出すのに便利な方法になるかもしれません。〔貴族の称号である〕「Lord」の検索結果はもう少し混乱しています。なぜなら、「Lord」は敬称とは限らず、名字である場合もあるからです。これらは無視しても良いでしょうが、一応、〔grep を行って〕結果は見てみてください。

「Mrs」や「Miss」という文字列が記載された住所は、次のように簡単にカウントできます。

```
grep -c "Mrs" all-b-streets.xml
grep -c "Miss" all-b-streets.xml
```

ここで返された結果は、「Mrs」や「Miss」を構成する一続きの文字に対する検索であって、単語そのものではないことを思い出しましょう。これにより、少々望ましくない結果が得られることがあります。たとえば、上記のように

「Miss」で **grep** をすると「Mission」を **grep** して出てくる結果も含まれてしまい、誤ったカウントにつながることになります。このからくりが分かりにくければ、やはり **grep** で調べてみるのが一番です。

```
grep "Mission" all-b-streets.xml
```

を実行し、次に

```
grep "Mission" all-b-streets.xml | grep "Miss"
```

を実行すると、両方とも同じ結果を返してくるはずです。

複雑な正規表現を使ってこの問題を解決しようとすることもできますが、幸い **grep** では、**\b** という表現で単語境界を示すことで、完全な単語にマッチさせることが簡単にできます。単語境界とは、スペース、コンマやピリオド、行頭または行末、のいずれかを指します。

```
grep -Ec "\bMrs\b" all-b-streets.xml
grep -Ec "\bMiss\b" all-b-streets.xml
```

このように **\b** を使うと、「Mrs」や「Miss」を独立した単語として検索することになるので、たとえば「Mission」などはマッチしなくなります。また、ここでは正規表現を使っているので、**-E** フラグが必要です。そうしないと、検索は「\b」という文字列に対して行われてしまいます。

この結果は、それぞれ 1,129 と 342 です。既婚女性（または未亡人）が未婚の女性の約 3 倍の頻度で居住者として記載されていることが、すぐに分かりました。

残念ながら、データに含まれている可能性のある、あらゆる女性用敬称を見つける簡単な方法はありません。データがそこまで詳細にマークアップされていないためです。14,021 件の住所があることは分かっているので、興味を持った研究者が女性と男性のすべての敬称をマークアップしようとすると、数日がかりの作業になるでしょう。本章の最後の方で、ドキュメントに対する独自の XML 要素の追加について検討しますが、この例についてはその際にまた触れることにしましょう。

grep は非常に高速なので、「all-b-streets.xml」に対していくつかの検索をさっと試してみることができます。すると、Misses（42 件)、Madame（26 件)、Duchess（3 件）などが見つかります。これらは、少数の珍しい敬称であり、Sir のような男性の数少ない敬称とおおむね同じようなものと考えられます。とりあえずはデータの大まかな把握が目的なので、これらの例外的な敬称は無視することにします。

リストアップされた男性と女性のおおよその比率についての質問に答えるために、「Mrs」と「Miss」の検索を組み合わせたいと思います。これはパイプ記号(|)を使った正規表現で行うことができます〔正規表現での | は論理和(OR)を表す〕。正規表現での「|」は、コマンドラインでコマンド同士をパイプするときの「|」とは意味が違うことに注意してください！　ここでは正規表現を使うので、**-E** フラグも使う必要があります。

```
grep -Ec "\bMrs\b|\bMiss\b" all-b-streets.xml
```

1,465 件という結果が得られました。これが、前述の〔Mrs と Miss に対する〕別々の検索で得られた 1,129 と 342 の合計になっていない理由は分かりますか？

grep は結果を含む行を返し、ここではその返された行数をカウントしていることを銘記しましょう。データの中には「Mrs」と「Miss」の両方が含まれている行がいくつかあり、組合せ検索が行われると 1 行としてカウントされます。これが差異の原因です。このことを確認したいなら、検索結果に対して一方の単語で **grep** してから、さらにもう一方の単語で **grep** すると良いでしょう。

```
grep -E "\bMiss\b" all-b-streets.xml | grep -E "\bMrs\b"
```

```
bash — bash
bash-3.2:~/Data/digital-history/data/XML$ grep -E "\bMiss\b" all-b-streets.xml | grep -E "\bMrs\b"
<addr>Nield Mrs. Eliza &amp; Miss. Louisa, ladies' school</addr>
Suffrage</i> Miss Kate Thornbury, sec <i>Lunacy Law Reform Association</i>,Mrs. Louisa Lowe, hon. se
c</addr>
<addr>20 Urquhart Mrs. &amp; Miss</addr>
<addr>22 Cocks Mrs. Mary &amp; Miss Fanny, dressmakers</addr>
<addr>213 <i>Crown</i>, Mrs. Elizabeth Jane &amp; Miss Emma Marian Green</addr>
<addr>CITY OF LONDON UNION INFIRMARY, George Layle Hunter, stewrd Mrs. Martha Hunter, assistnt Miss
Damaris Haddock, mtrn
bash-3.2:~/Data/digital-history/data/XML$
```

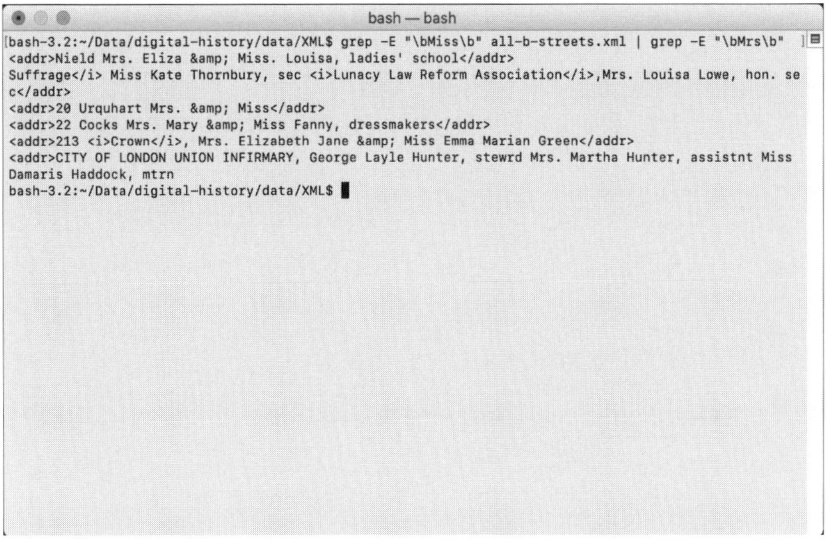

図 5.2　grep -E "\bMiss\b" all-b-streets.xml | grep -E "\bMrs\b" の実行結果

データのノイズについては留意しておく必要がありますが、これで、居住者として登録されている男女の大まかな比率を求めることができるようになりました。男性の数については、「Miss」および「Mrs」という言葉が含まれていない住所をカウントすれば得られます。

```
grep "<addr>" all-b-streets.xml | grep -Evc "\bMrs\b|\
bMiss\b"
```

女性については、"Miss" または "Mrs" が含まれる住所をカウントします。

```
grep "<addr>" all-b-streets.xml | grep -Ec "\bMrs\b|\
```

```
bMiss\b"
```

得られた比率は 12,576 対 1,445 なので、〔対男性比で〕約 11.5%が女性として登録されていることが分かりました。これで大まかな平均値が得られたので、個々の通りを検索すれば、女性の数が多かったり少なかったりする外れ値を見つけることができます。ここでもう 1 つ注意点があります。それは、施設(教会やパブなど）が〔Miss も Mrs も付かないので〕男性としてカウントされているという点です。今行っていることは、あくまで手がかりとしてデータの概要を知ることであり、その目的は、どこに調査の焦点を当てるべきかを決められるようにすることにある、ということに留意してください。本章の最後にある「確認テスト」には、こうした施設を除外したい場合にはどうすれば良いかという設問を含めておきました。

さて、本節の最後に、もう少し複雑な作業をしましょう。男女の個々の職業をカウントして、その結果を頻度順で並べるのです。そのためには、さらに 2 つの便利なコマンドラインプログラム、**sort** と **uniq** が必要です。

ここでは、これまで使用してきた **grep** コマンドの多くが一堂に会することになります。必要な手順は次のとおりです。

1. 「Miss」または「Mrs」という言葉を含むすべての住所を見つける
2. 結果から、各住所の最後のコンマの後にあるテキスト部分（職業）を抽出する
3. 結果をソートする
4. 一意の（ユニークな）結果のみカウントする
5. 結果を数値順に並べる

これは、データ全件が載っている 1 つのファイルに対して実行することも、個別の通りのファイル群に対して一気に実行することもできます（つまり、検索に多少の修正を加えるだけで、all-b-streets.xml に対して行うことも *.xml

に対して行うこともできます)。ここでは、前者を使用します。なぜなら、手順がすでに複雑なため、1つのファイルを相手にする方が若干簡単だからです。ステップ1については、すでに説明したとおり次のようにしましょう。

```
grep "<addr>" all-b-streets.xml | grep -E "\bMrs\b|\bMiss\b"
```

今回の正規表現では、各行の最後のコンマをターゲットにする必要があります。これを行うためには、最後にちょっとした構文を導入する必要があります。文字クラス〔[]で指定する文字〕は個々の文字の集合であり、そのうちのいずれもマッチの対象となる、ということを覚えていると思います。その反対は、どの文字もマッチしないような文字クラスです。これを使えば、ある文字や文字群（この場合はコンマ）が出現しないようにすることができます。正規表現では、次のように文字セットの先頭にキャレット記号を置くと、「これらに該当しないすべてのもの」という意味になります。

```
[^,]+
```

これは、「コンマ以外の任意の文字数の文字」を意味します。なぜこれが必要なのでしょうか？　それは、住所の中には、次のBrick Laneの例のように、複数のコンマを持つものがあるためです。

```
<addr>59A, M'Carty Mrs. Ann, haberdashr</addr>
```

しかし検索結果には「haberdashr〔小間物屋（haberdasher)〕」だけを表示させたいのです。完全な正規表現は、次のとおりとなります。

```
,[^,]+</addr>
```

これは、「1つのコンマの後にコンマ以外のものが〔1つ以上〕続き、その後に </addr> が続く」という意味です。これにより、各行の最後のコンマとそれに続く部分だけを確実に得ることができます。この検索を試してみると、検索結果からその働きがわかるでしょう。

```
grep "<addr>" all-b-streets.xml | grep -E "\bMrs\b|\bMiss\
b" | grep -Eo ",[^,]+</addr>"
```

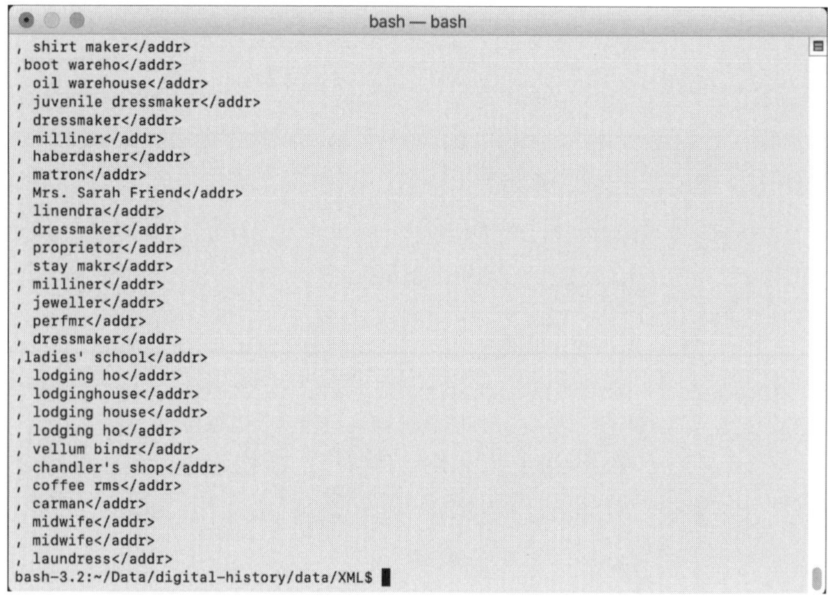

図 5.3　grep "<addr>" all-b-streets.xml | grep -E "\bMrs\b|\bMiss\b" | grep -Eo ",[^,]+</addr>" の実行結果

これらは女性の職業ですが、ソートされていません。これらをソートするには、**sort** と呼ばれる別のプログラムにパイプでつなげます。

```
grep "<addr>" all-b-streets.xml | grep -E "\bMrs\b|\bMiss\
b" | grep -Eo ",[^,]+</addr>" | sort
```

デフォルトの表示はアルファベット順になります。結果を見ると、いくつかの個人名が混じっているのが分かりますが、それぞれ一度しか出てこないので、結果には大きな影響を与えません。もっと問題になるのは、スペルのバリエーションです。

この段階で、結果をテキストファイルに書き出し（これについては＞を使った方法を前章で紹介しました）、より一貫性のある形に編集して、最終的なカウントを行うのが良いと考えるかもしれません。この作業は、練習用としてみなさんにお任せすることにします。

uniq プログラムは、リストの項目を1つだけ返し、重複は削除します。フラグ **-c** をつけると、元のリストに何個の重複があったかを数えてくれます。これは、リストからカウントするときにとても便利です。

```
grep "<addr>" all-b-streets.xml | grep -E "\bMrs\b|\bMiss\
b" | grep -Eo ",[^,]+</addr>" | sort | uniq -c
```

これで私たちが欲しかった情報が得られますが、まだ職業のアルファベット順で並べられたままです。

そこで、最後のソートが必要になります。今回は数字順によるソート〔フラグ **-n** で指定する〕です（そうしないと、11の後に9が表示されるようなことが起きてしまいます）。

```
grep "<addr>" all-b-streets.xml | grep -E "\bMrs\b|\bMiss\
b" | grep -Eo ",[^,]+</addr>" | sort | uniq -c | sort -n
```

（実行結果）

```
...
9 , baker</addr>
```

```
9 , tobacconist</addr>
13 , coffee rooms</addr>
13 , lodging house</addr>
18 , grocer</addr>
23 , lodging ho</addr>
24 , dressmaker</addr>
29 , milliner</addr>
```

すでに述べたように、この検索はかなり複雑です。この例では、各コマンドを自分で実行してみることで、より明確に理解できるようになるでしょう。全体を一気に理解しようとするよりも、部分ごとに理解する方が容易です。私たちがこれを紹介したかったのは、この種の手法は、あらゆる種類のテキストにおいて出現数を非常に速くカウントする方法であるためです。これはほとんどの歴史研究者にとって便利でしょうし、何度か使ってみれば、それほど怖いものではなくなるはずです。

男性の職業に関しては、2つ目の **grep** に **-v** フラグを追加するだけで同じことができます。

```
grep "<addr>" all-b-streets.xml | grep -Ev "\bMrs\b|\bMiss\b" | grep -Eo ",[^,]+</addr>" | sort | uniq -c | sort -n
```

（実行結果）

```
...
110 , butcher</addr>
118 , beer retailer</addr>
122 , greengrocer</addr>
124 , bootmaker</addr>
```

```
138 , solicitor</addr>
145 , grocer</addr>
151 , tailor</addr>
189 , baker</addr>
```

この例は示唆に富んでいます。たとえ大量のテキストが相手の場合であっても、（コマンドラインをある程度練習すれば）非常に手早く作成することができるのです。しかし、このマークアップでは確度の高いテキスト分析はできない、という点はつねに注意しておかなければなりません。そこで、次節では、より詳細なタグ付けを既存のXMLファイルに対して行う方法について検討します。

最後に、みなさんはもうコマンド入力に慣れたでしょうから、コマンドラインを使う際の時間節約術を1つご紹介しましょう。上矢印キーを押すと、過去の入力履歴が表示され、それを編集することができます。これにより、複雑なコマンドの修正がずっと簡単になります（特に入力ミスがあった場合）。

独自のマークアップを施す

もう一度、Balls Pond Roadの冒頭の名前を見てみましょう。

```
<addr>1 Clarke John, baker</addr>
<addr>3 Alder Charles, umbrella maker</addr>
```

XMLでは、自分の研究関心に応じて、独自の要素を定義することができます。「occupation」という名前の要素を使って、職業を明示的にマークアップしてみましょう。

```
<addr>1 Clarke John, <occupation>baker</occupation></addr>
```

もし、すべてのデータに <occupation> 要素を追加すれば、作業対象として、より信頼できる職業セットが得られるでしょう。その上で、先に行ったようなコンマに頼る方法よりも、さらに信頼性の高い結果が得られそうな正規表現を使えば、すべての職業を抽出することができるでしょう。

これはこれで有用ですが、もし、郵便住所録に記載された職業に焦点を当てた研究を行うのであれば、何らかの方法による分類を取り入れることで、より進んだ作業を行いたくなるでしょう。XML では、属性（attribute）と呼ばれるものを使用して、要素にサブカテゴリを付与することができます。

ここでは、「type」という属性を設定することにし、ダブルクォーテーション（"）の中に値（value）を記述しました。値は、自由に職業の種類を設定して構いません。次の例では、「foodstuffs（食品）」と「crafts（手工業）」を使っています。こうしておけば、**grep** やその他のツールを使って、手工業に属する職業をすべて抽出することができます。

```
<addr>1 Clarke John, <occupation type="foodstuffs">baker</
occupation></addr>
<addr>3 Alder Charles, <occupation type="crafts">umbrella
maker</occupation></addr>
```

属性は要素の一部とは見なされないため、終了タグは開始タグ内の属性を除いた部分と呼応するようにします。このようにマークアップを施すことで、<occupation> 要素全体を扱うことも、特定のサブセットのみを扱うこともできるようになることが分かるでしょう。

属性は複数付与することが可能です。性別や結婚に関する属性で居住者をマークアップしたい場合、次に示す Susan Hockridge のエントリ

```
<addr>9 HockridgeMrs.SusanAnn,bookslr</addr>
```

では、以下のように、**<person>**タグに2つの属性（genderとmarried）を使うことができます。

```
<addr>9 <person gender="female" married="yes">HockridgeM
rs.SusanAnn</person>,bookslr</addr>
```

このエントリは、〔Mrsの前後にスペースがないため〕単語境界ありという指定で「Mrs」を**grep**したら、ピックアップされなかったでしょう。〔Mrsの直後にある〕ピリオドは単語境界ですが、〔直前にある〕文字「e」は当然違うからです。しかし、ファイルが上記のように属性も含めてマークアップされていれば、正規表現を必要とせず、単純な**grep**ですべての既婚女性を見つけることができます。

ところで、なぜ、属性ではなく要素を増やさないのでしょうか？　つぎのような形でも良いのではないかという意見もあるかもしれません。

```
<addr>9 <person><female>HockridgeMrs.SusanAnn</female></
person>,bookslr</addr>
```

一理あります。しかし、マークアップがゴタゴタして扱いづらくなることを避けるため、XML内の要素数は数十個以内に抑え、かつ1つの意味単位に対する要素数は1つだけにすることをアドバイスしたいと思います。上記の場合、<female>という要素はつねに<person>と同じテキストをマークアップすることになるので、属性としてgenderを使う方が良い選択でしょう。とはいえXMLでは、基本ルール以外の部分はすべてユーザの選択次第です。

データ入力会社に郵便住所録の一部分をXML変換してもらった（これについては第3章で述べました）ときには、住所部分については他の部分とは異なる扱いをするように指示することもできました。しかし、重要なことは、入力作業者は、書体やページレイアウトなどを手がかりに作業しているということです。入力を依頼したテキストの意味の解釈まで、彼らに期待することはできません。プロの入力作業者が意味的なマークアップを行えるのは、それが印刷上、何らかの形で識別可能な場合のみです。つまり視覚的な手がかりが作業のベースなのです。そういうわけで、「テキストに下線が引かれているときは、<italic> 要素を使って入力してください」と指示することはできますが、「女性の名前はすべて <female> 要素を使って入力してください」と指示することはできません。優れた指示書を書くためには、印刷上の特徴を意味あるデータの塊にできる限り翻訳し、また、後で使いたい重要な要素をテキストから見逃さないようにすることが大切です。

自分で独自の XML タグを追加する場合、間違いを犯すこともあるでしょう。本章のはじめに述べた XML のルールの 1 つに「入れ子の要素はオーバーラップしてはならない」というものがあります。つまり、次のような形にはできません。

```
<street> <addr> </street> </addr>
```

<addr> が <street> の中で開始したら、次のように <street> の内部で閉じなければなりません。

```
<street> <addr> </addr> </street>
```

大規模なドキュメントでは、入れ子の状態を目視で確認することは非常に困難です。私たちの経験では、入れ子の問題は、XML を書いているときにもっとも起こりやすく、またもっとも見つけづらいミスです。最善の方法は、専用の XML エディタで文書を開くことです。もし不適切な入れ子があれば、ただちに注意を促してくれるでしょう。また、これらのエディタには、XML ファイルのナビゲーションや修正をエラーを起こすことなく行ったり、さらには文書全体の構造を把握できるようにしたりするための、多くのサポート機能が備わっています。無料のものも含め、数多くのXMLエディタがありますが、本書ではOxygen（https://www.oxygenxml.com）というエディタをお勧めします。これは無料ではありませんが、デジタルヒストリアンの間で広く使用され、高く評価されています。

Sublime Textのようなテキストエディタは、XMLエディタではないことに注意してください。XMLエディタはファイルを開いたときにドキュメントの構造を理解しようとしますが、テキストエディタはドキュメントを単なるテキストとして扱います。そのため、現実問題としては、XMLエディタは大きなXML文書の場合に動作が遅くなったり、非常に大きなファイルがクラッシュを起こしたりすることがあります。自分のXML文書の構造に自信があるならば、テキスト専用のエディタで編集した方が速い場合もあります。特に、XMLの構造を変更することなくテキストのみを修正する場合は、その方が良いでしょう。

これまで見てきたように、独自の要素の定義が可能とはいえ、XMLにはいくつかの基本的なルールがあります。まとめると次のとおりです。

1. どのファイルもルート要素を持たなければならない。
2. すべての要素は完全に入れ子になっていなければならない。一方のタグだけ〔他の要素内に〕入っていたり外に出ていたりしてはいけない。
3. 属性値はクォーテーションマークで囲まれなければならない（たとえば、**married="yes"** または **married='yes'** は良いが、**married=yes** は不可）。

Text Encoding Initiative

自分のXMLテキストを好きなようにマークアップできるということは、他の人も同じようにマークアップできるということです。そのため、複数の異なるソースからテキストを集めた場合、それらを1つのコレクションとして活用するのに苦労することになります。パラグラフを表わすために、人によっては **<p>**、**<para>**、**<paragraph number="237">** といった異なる方法でマークアップしているかもしれません。何が何のために使われているかを把握し、それらを相互にマッピングするだけでも膨大な作業であり、法外なコストがかかることでしょう。

Text Encoding Initiative（TEI）は、この潜在的な無秩序状態に一定の秩序をもたらすために設計されました。TEI は、XML テキストをどのようにマークアップすべきかのガイドラインを作成するコンソーシアムです。もちろん、TEI には何の強制力もないので、好きなだけ独自の XML 要素を作り続けることもできますが、自分のテキストを他から持ってきたコード化済みのテキストと一緒に使いたい場合や、あるいは自分のテキストを他の誰かに使ってもらいたいならば、TEI を使うのは良い考えです。TEI の最初のガイドライン群は 1980 年代後半に策定され、人文学分野で広く採用されています。[2] TEI ガイドラインには、長年にわたって多くの考察と改良が加えられており、どの要素や属性を使用すべきかについての参考になります。これは、あなた自身の XML 用に TEI を修正して使う場合でも同様です。

本書のためにデジタル化された郵便住所録に使用した XML テキストは、あくまで説明のために、TEI 準拠ではなく純粋に私たち自身が考案したものです。TEI は、本書でこれまで使ってきた XML よりも複雑です。まずは XML の基本に自信を持てるようになってから、TEI に取り組むのが良いでしょう。

TEI ガイドラインは、特定のテキストのエンコード方法を厳密に規定するものではなく、お互いに全く異なる関心や専門を持つ研究者たちのために設計されています。ガイドラインが定めているのは、たとえば、一つのパラグラフをエンコードする場合には **<para>** や **<paragraph>** ではなく **<p>** を使うべきである、といったことです。また、翻刻したテキストの中の書体の変化に関心がなければ、TEI 準拠のテキストでそのようなマークアップをしなくてもまったく問題ありません。しかし、もしマークアップするのであれば、たとえば〔TEI ガイドラインが定義していない〕**<i>** や **<emphasis>** ではなく、〔TEI ガイドラインが定義している〕**<hi>**（「highlighted」の略）を使うべきなのです。

TEI ガイドライン全体では、考えうるほとんどのテキストの類型が網羅されており、たとえば詩の韻律や、手稿の製本方法をどのようにマークアップするかについても定められています。ガイドラインすべてを読む必要はなく、すべてを読んだことのある人は実際ほとんどいないでしょう。たいていの目的においては、TEI Lite と呼ばれる簡略版を使うことができます。ほとんどの XML エンコーディングに使えるよう十分に詳細化されたものなので、TEI の手始めには最適です。[3)]

TEI のウェブサイト（https://tei-c.org/）には、TEI に取り組む際に役立つツールがたくさん用意されていますが、いきなり TEI の学習に取りかかる必要はありません。ただ、TEI でエンコードされたテキストに遭遇したときに、それと分かることができれば有益でしょう。TEI のテキストは次の 1 行で始まります。

```
<TEI xmlns="http://www.tei-c.org/ns/1.0">
```

そして、TEI ファイルには必ず **<teiHeader>** 要素が含まれます。これは、そのファイルについての重要なメタデータ（作成者など）をエンコードしたものです。その後、よく分からない要素が使われていたら、公開されているガイドラインで調べれば良いのです。[4)] 本書の著者たちもそうですが、TEI に関しては、時々そのようにして調べるのが普通です。

確認テスト

1. 既婚女性と未婚女性のもっとも一般的な職業を、all-b-streets.xml から探しましょう。
2. 「XML」フォルダから通りを 1 つ選び、独自の要素群を追加してマークアップしましょう。前述の XML の 3 つの制約を守ってください。
3. 2. で変更したファイルから、新しく定義した要素を **grep** で抽出しましょう。

1 多くのファイルを 1 つにまとめるのは、しばしば便利なやり方です。次のように **cat** コマンドを使えば可能です。

```
cat *.xml > all-b-streets.txt
```

ここでは、再帰を避けるために拡張子を .txt にしています。つまり、もし、**cat** を「all-b-streets.xml」というファイルに出力することにすると、このファイル自体も、*.xml にマッチするため、コマンドによって加える対象になります。〔既にリポジトリには同名の「all-b-streets.xml」ファイルがあるため〕ファイルが自分自身に追加され続けてしまうことになるのです。これを回避する方法はいくつかありますが、異なる拡張子を使うのがもっとも簡単でしょう。その後でファイル名を「.xml」にリネームすれば良いのです（それが本書のリポジトリにある「all-b-streets.xml」ファイルです）。

2 'TEI: History', TEI, https://tei-c.org/about/history/ (accessed 28 June 2020).

3 'TEI: TEI Lite', TEI, https://tei-c.org/guidelines/customization/lite/ (accessed 28 June 2020).

4 'P5: Guidelines for Electronic Text Encoding and Interchange', TEI, https://tei-c.org/release/doc/tei-p5-doc/en/html/index.html (accessed 28 June 2020).

第6章

デジタルヒストリーのプロジェクトを管理する

紙の上のインクからデジタルテキストへの変化によって、私たちは自分の作品の完全なコピーを作ることができるようになった。孤立したコンピュータから世界中に広がるネットワークへの変化によって、突如、私たちは自分の作品の完全なコピーを、世界中の人びとと基本的に無料で共有できるようになったのである。[1)]

ここまで3つの章にわたり、ある一冊の19世紀の書物の一部分について、ページ画像の作成、画像上のテキストの手入力、そして分析のためのファイル（リストなど）の作成、と作業を進めてきました。その過程で、その他の多くのファイルも作成しました。もしこのまま作業を続けるならば、この先さらに増えていく可能性があります。プロジェクトが複雑になり、アウトプットが多様化すればするほど、意識してこれらの素材を効率的に管理する必要がでてきます。ここまで例示のために実施した郵便住所録に対する作業では、作業のさまざまな段階に応じた約1,000個のファイルが作られましたが、本格的なデジタルヒストリーのプロジェクトでは、桁違いに多くのファイルが生み出され、ずっと複雑になることが良くあります。

研究成果を何らかの形で発表することは当然の目標でしょう。このプロセスを厳格に進めるためには、あらゆるものを適切な管理の下に置く必要があります。古いバージョンのファイルで作業することや、作成したチャートの元となった職業リストの行方が分からない、といった事態は望ましくありません。特に、（次章で扱う予定の）チャートの作成後に、それがどのバージョンのデータから来たものなのか分からなくなるようなことは避けたいものです。

デジタルヒストリーは、協同性、オープン性、そして〔データの〕共有を伴う傾向があります。私たちが共有した何らかのデータに対して、他の歴史研究者たちは異なるアプローチを取るかもしれず、また異なる手法や理由によってデータの拡張や処理を行うかもしれません。そのため、彼らが取り組もうとしているデータが、明確に構造化され、きちんとドキュメンテーションされていることが、なおさら不可欠なのです。

本章ではまず、データ管理について、そしてバージョン管理の重要性（これは共同研究の場合も個人研究の場合も同様です）について議論し、次にデータ共有の重要性と、それに関連するクレジットやライセンスの問題に移ります。本章では、Git プログラムに多くの紙幅を割きますが、それは、Git プログラムはこれらの問題の多くに解決策を提供できると私たちは考えているからです。そういうわけで、たとえほんの少しでも Git は学ぶ価値があるのだということを、皆さんに納得していただきたいと思います。

データ管理

デジタルヒストリーは、研究手法を変えるだけでなく、研究の共有方法にも根本的な変更を迫っています。今日ほど、研究を共有する機会や手段が増えたことはかつてありません。研究成果は、有料の雑誌論文の枠に収まらず、実のところ、それらを一切含まないこともあります。本書を通じて、デジタルデータの作成・変換の方法について学んできました。ここまでのところで郵便住所録プロジェクトから生成されうる研究成果を考えてみましょう。

- メタデータ
- ページ画像
- プレーンテキスト形式の機械可読テキスト
- XML 形式の機械可読テキスト

私たちの仕事がうまくいっているならば、すでに多くのデジタル資産が生み出され、それは、他の研究者だけでなく、家系研究家、自分の家の歴史を調べている人、地方議会、19世紀の特定の個人の動きを追跡しようとしているオーストラリアの研究者といった、はるかに広いコミュニティが関心を寄せるものになっているでしょう。作成したデジタル資料を管理することは、また別の課題であり、その方法について検討・習得する必要があります。しかし、それを効果的に行うことができれば、それまで少数の大学図書館でしか見られなかったようなテキストが、まったく新しい方法でアクセス・発見できるようになります。それを特に探していなかった人にさえも、見つけてもらえるようになるでしょう。

研究を書き記す方法は無数にあり、多くの異なった方法で共有することができます。Twitter、Facebook、Instagramなどの商用プラットフォームを利用して、さまざまな形式で自分の研究を共有している研究者もいれば、個人や機関のウェブサイトでブログを書く研究者もいますし、自分の研究に関するビデオを投稿したりポッドキャストで議論したりする研究者もいます。研究はプロセスのどの段階でも共有することができます。出版物に投稿する前に公開することで、コメントや批評を得ることも可能なのです。

単著や査読付き論文といったもっとも伝統的な形の研究成果であっても、さまざまなライセンスの下で、あるいはアクセス可能な程度を定めて公開することができます。その中でもっともオープンなのがオープンアクセスです。オープンアクセスのもっとも精力的な支持者の一人であり、確固たる論者でもあるピーター・スーバー（Peter Suber）の定義によれば、それは「デジタル、オンライン、無料であり、かつ著作権やライセンス上の制限がほとんどない」[2)]ことを意味します。

アウトプットについて考慮し、またそれをどのように共有するかを考えながらプロジェクトを始めることは、研究コミュニティにとっては計り知れないほど有益です。しかし、そのためには、私たちの成果から恩恵を受けるであろう未来の研究者のことを、プロジェクトの最初の段階で考えておかなければなりません。

これまでの各章では、研究に使われているあらゆるデジタル資料を批判的に見る必要性について述べてきました。つまり、それらがどのように作成されたかを問い、透明性を期待し、明確なドキュメンテーションとメタデータを追求することが必要なのです。また逆に、自らがデジタル資料の作成者である場合は、将来の研究者が自分たちと同じやり方でその成果を吟味できるようにしておく責任があります。透明性を持った作成や処理がなされているでしょうか？プロジェクトのドキュメンテーションはきちんと行われているでしょうか？メタデータは分かりやすいでしょうか？

そうしておくことで、その恩恵を受ける人物がもう一人います。未来のあなた自身です。プロジェクト遂行中に上記の問いを検討しておけば、たとえば半年後や6年後にそのプロジェクトに戻ってきても心配ありません。データは、他者と共有することができて初めて役に立つものですし、未来の自分は他者であると見なすべきです。他者は、文書がろくに残っていない決定事項を理解することも、単に「B」とだけ書かれた表の列の意味を思い出すこともできないでしょう。

データ管理とバージョン管理

新しく研究やプロジェクトを開始する際の高揚感の中では、すぐにでも作業に取りかかりたいと心がはやるものです。平均的なデジタルプロジェクトではデータクリーニングが作業の80%を占める、という警告を心に留めているならば、すぐにでも着手したいと焦るかもしれません。しかし、データの管理と安全な保管方法について最初に計画しておけば、より有益です。これはそれほど時間もかからないので、すぐに実作業に移れるでしょう。検討しなければならないのは次のことです。

- メタデータ（プロジェクト内部で、および外部に向けて、データをどのように記述するか）

- バージョン管理（データを台無しにしてしまった場合にどうすれば良いか）
- ドキュメンテーション（プロジェクトの説明的な記述）
- 保存（将来にわたってデータを使用可能な状態にする方法）

私たちにとってもっともおなじみのメタデータは、ファイルレベルのものです。ファイル名そのものがメタデータであり、ファイルの種類、サイズ、作成日、最終更新日などもメタデータです。XML などのファイルはヘッダにメタデータを含むことがあり、前章の最後に紹介した TEI ヘッダはまさにこの機能を持っています。写真には、カメラの機種、設定、撮影場所の地理座標などの標準的なメタデータ（Exif）が含まれていることがあります。[3] コードを読むのは（知らないプログラミング言語の場合には特に）気が遠くなるような作業ですが、きちんと書かれたコードであれば、それが何をどのように処理するものなのかを大まかに説明するコメントを含んでいるはずです。

マニフェストファイルのように、メタデータを外部に作成することもできます。第 4 章の **ls** コマンドを思い出してください。このコマンドは、より冗長な情報を表示したり、すべてのサブフォルダ内のすべてのファイルを再帰的に表示したりするフラグを用意しています。コマンドラインの場合と同様に、**>** を使って出力をリダイレクトすることで、結果を別のファイルに書き出すことができます。

画像の場合は、データ、来歴、画像の種類など、後から探せるよう画像の主題を説明する記述やタグを追加すると良いでしょう。第 2 章で、画像を管理するためのツールがあることを述べましたが、これには研究用写真のための Tropy などがあり、コレクション管理に使うことができます。

ファイル構造はメタデータの重要な一部ですが、ファイル構造はむしろ有機的に成長するものです。これはすなわち、複数人が作業している場合は特に、多くのプロジェクトが行き当たりばったりな整理で終わってしまうということになります。どのように体系化すればうまくいくのかを、最初の段階で考えておきましょう。また、なるべくプロジェクトの自然なワークフローに沿って、物事を体系化することを心がけてください。たとえば、プロジェクトのファイルはどこに保管すれば良いでしょうか？　ファイルのコピーは作成しますか？ワークフローの中で、どのファイルがどのファイルから派生したのかは明確でしょうか？　これらはすべて、適切なメタデータを付与することでより容易になります。

いつものように、これらの決定事項についてすぐにドキュメンテーションを行うことは有益です。「処理済みのファイルはフォルダXからフォルダYに移動すること」などと書き留めておくのは過剰に思えるかもしれませんが、何事も明確にしておけば助けになるのは間違いありません。また、プロジェクトの最中にドキュメンテーションを同時に行っておけば、プロジェクト全体の最終的なドキュメンテーションにかかる負担を軽減することもできるのです。

バージョン管理

バージョン管理は必須です。どのバージョンのファイルが最新なのか、あるタスクがどこまで進んだのかが分からなくなったり、誤って作業内容を上書きしてしまったりすることがあるでしょう。プロジェクトが複雑になればなるほど、これらの問題は悪循環に陥ります。

最低限、2つのことが必要です。すなわち、一貫したファイル命名法と、作業内容が失われた場合の復元方針です。たとえば次のようなファイル名はお勧めできません。

```
alice-extra-section-final-final.txt
bob-extra-section-really-final.txt
```

ファイルのバージョン管理は数字を使えば簡単に行うことができ、これは何度も変更を繰り返している場合には特に有用です。たとえば次のように。

```
post-office-v07.xml
post-office-v08.xml
```

これらのファイルを綺麗にソートする可能性を念頭に置きましょう。そのため、ここでは先頭の数字にゼロを使っています。そうしないと、「post-office-v10.xml」が出てきたときに、「v2」より前にソートされてしまう可能性があるのです。もし、99個以上のバージョンが想定されるのであれば、単にゼロを増やすよりも、アプローチを根本的に見直した方が良いでしょう。各バージョンがそれぞれ特定のタスクや処理ステップにリンクしているような形でドキュメンテーションを行っていれば、後から問題が発見された場合、その大元を特定することは非常に簡単になります。

この方式は、1人で作業している場合は維持できますが、共同で作業する場合は別のレベルの複雑さが加わります。2人の人間が同じデータセットを扱う場合、バージョン番号はどうなるでしょうか？　同じファイルが別々に2回変更され、その結果を1つのマスターバージョンに統合する必要がある場合、誰がそれを行い、それはどれほど大変なのでしょうか？　これが、適切なファイル命名方式は必要ではあるものの、それだけでは十分ではない理由です。

失いたくないものは何でもバックアップしておきましょう。手早い定期的な増分バックアップをローカルで行うことでも構いませんが、実際には、ラップトップが壊れたり、バスに置き忘れたり、自機関のファイルシステムが破損したりするような大惨事を想定しておくべきです。最低限の対応としては、大切なファイルのコピーを自分自身にメールで送っておくのが良いでしょう。外付けのドライブを使うのも良い方法ですが、独自の電源システムを持つドライブの方が、そうでないものよりも堅牢です。ファイルがプロプライエタリな形式である場合は、バックアップを別のフォーマットにエクスポートして、1つのソフトウェアに依存せずに済むようにするのが良いでしょう。

何事もそうですが、自分にとって重要なことに関しては、予定を立てるべきです（結婚式の予定は立てても、ジムに行く予定は立てない人が多いのはそういうわけです）。何かしら自分のカレンダーに設定して、適切なスケジュール（たとえば週次）でバックアップを行うようリマインドしてもらいましょう。自発的に思い出すことを期待しないこと。何ヶ月もバックアップを取る「つもり」でいながら手をつけなかった場合に最悪の事態が起きる、ということは避けたいものです。

Git

バージョン管理の最良の方法は、無料のプログラムであるGitだと私たちは信じています。Gitはあまりにも便利なので、以下の数ページでその基本的な使い方を紹介していきたいと思います。

なぜ私たちはこれほどGitに熱中し、みなさんに知ってほしいと願っているのでしょうか？　デジタルヒストリーのプロジェクトに携わってきた経験から、物事はうまくいかないものだということを知っているためです。私たちはこれまでにも多くの失敗をしてきましたし、これからもするでしょう。Gitを使えば、何かがうまくいかなかった時点まで引き返したり、後のバージョンのファイルからその一部分だけを（同じことのやり直しに時間をかけたくないため）抜き出したりすることさえできます。同じく重要なのは、Gitが実験を容易にしてくれることです。それは、上書きしてしまったファイルを回復できるという安心感だけでなく、Gitの仕組み自体が実験を積極的に促してくれるためです。

たとえ実際に触る予定がないとしても、Gitはとても広く使われているので、その仕組みを大まかに知っておくと便利です。デジタルヒューマニティーズのデータの多くは、本書のリポジトリがそうであるように、公開リポジトリ（ファイルの集合）として提供されており、バージョン管理システムとしてGitが使われています。つまり、プロジェクトに関する情報の一部は、Gitが保持するログに記録されており、どこを見れば良いのかさえ知っていれば、それらのログに簡単にアクセスすることができるのです。

Gitをもう少し使いこなせるようになれば、誰か他の人のプロジェクトの過去の段階に戻ることさえできます。たとえば、Gitのログを確認したところ、ある XML 要素が、そのプロジェクトの目的とは無関係だと判断されて、ある時点（このすぐ後で見るように、これはGitではある特定のコミット〔編集結果を反映させること〕の時点を意味します）で削除されたという事実が分かったとしましょう。一方あなたの研究では、その削除された情報に強い関心があるかもしれません。嬉しいことに、ファイルを元に戻してその情報を復元することができます。これが可能なのは、Git リポジトリのコピーを取ると、そのリポジトリの全履歴をたどることができるからです。

本書ではGitの主な機能をざっと見ていくことしかできませんが、簡単なプロジェクトであれば、これで必要なものはすべてかもしれません。データの効率的なバージョン管理をするためには、Gitを少し使うだけで十分です。幸い、Gitに関する情報はオンラインにたくさんあります。スコット・チャコン（Scott Chacon）とベン・ストローブ（Ben Straub）によるオンラインブック『*Pro Git*』は明快でよくまとまっています。[4] もし完全に行き詰まってしまったら、Stack Overflow（https://stackoverflow.com/）のようなフォーラムで、あなたと同じことで悩んでいる人がすでにアドバイスをもらっているかどうか探すのも良いでしょう。

本書で説明するシナリオでは、Gitはバックアップを提供するわけではないことに注意してください。ノートパソコンをバスの中に置き忘れたなら、ファイルも失われます。[i]

Gitのもっとも基本的な機能は、ローカルマシン上の一連のファイルを追跡することです。追跡すべきファイルを指定すれば、何らかの変更を加えた任意の時点でコミットすることができます。これによって、任意のコミット時点のファイルの状態を復元することができます。そのため、コミットは頻繁に行うことをお勧めします。そうすれば作業を回復できる時点が増えるからです。

Gitを使うためのグラフィカルな補助ツールもありますが、ここで紹介する

i　本書ではローカル環境での作業しか扱っていないため。

最低限の例のように、Git はコマンドラインで使うこともできます。Git は無料なので、すでにインストールされているものとして話を進めます。第 4 章でアドバイスしたとおりに Windows 用の Git Bash をダウンロードしたのであれば、すでにインストールされているでしょう。他の OS の場合は、ソフトウェアの通常のインストール方法でインストールする必要があります。

Git は、プレーンテキストのファイルで動作します。Microsoft Word の .docx のような形式ではうまく動作しません。そもそも Git を使う理由は、〔Word で執筆するような〕物語を出版するためではなく研究データのためでしょう。とはいうものの、本章の原稿は、Git でバージョン管理を行いつつプレーンテキストで作成しました。その後、Pandoc（https://pandoc.org/）というフリーのツールを使ってプレーンテキストから .docx に変換しました。

郵便住所録のプロジェクトを開始するにあたっては、データ入力業者から 1 つの大きなファイル（all-b-streets.xml）を受け取り（第 4 章と第 5 章に取り組んだ方はよく覚えているでしょう）、このファイルを、当初「data」と名づけたフォルダに入れました。私たちは、そのフォルダとすべてのサブフォルダをただちにバージョン管理下に置きたいと考えました。というのは、有償で作業をしてもらったばかりのデータを失いたくなかったためです。このファイルを、手元のファイルシステム内の新たなフォルダにコピーして、次のような作業をしてみてください。

まず、件の新しいフォルダをカレントディレクトリとしてコマンドラインを開きます。この場所で Git を起動するために、次のように入力します。

```
git init
```

すると作業完了のメッセージが画面に表示されるはずです。良かったですね。ただし、現時点では*フォルダは Git でバージョン管理されています*が、*ファイルは管理されていません*。ファイルを追跡するよう Git に **git add** で明示的に指示する必要がありますが、まだそれを行っていないためです。

あらゆるGitコマンドは**git**で始まるので、その入力に慣れておきましょう。ここでは、次のように入力します。

```
git add all-b-streets.xml
```

***.xml**で、フォルダ内のすべてのxmlファイルを**grep**したのを覚えていますか？　Gitのプロセスでも同じような構文が使われます。

```
git add *.xml
```

種類を問わず、すべてのファイルを追加したい場合は、次のようにピリオド(**.**)を使います。

```
git add .
```

ファイルを作成するたびに、**git add**を使えば順々に追加していくことができます。

最後のステップとして、（はじめは分かりにくいかもしれませんが）追加されたすべてのファイルをコミットする必要があります。ファイルを追加しさえすれば復旧できるようになると思ってしまいそうですが、それだけでは足りません。ファイルはコミットされた時点までしか復元できないので、**add**を行った後、次のようにします。

```
git commit -m 'Post Office transcription as received from keyers'
```

言い換えると、まずGitは、追加するよう指示されたファイルを追加します。そのうえで、コミットの実行を選択すると、追加されたファイルがコミットされます（他のファイルはコミットされません）。実際やってみれば、追加してからコミットするという二重のステップを踏むことで、何をコミットするかをより細かくコントロールできることが分かるでしょう（ファイルを追加しすぎた場合には、コミットを行う前にそれらを削除することもできます）。たとえば、**grep** の出力から一時ファイルを作成したとします。あなたはそれをプロジェクトの履歴としてコミットしたくないかもしれません。このとき、明示的に追加しなければ、それらはコミットされません。

上の例では、**-m** フラグを使って、コミットにメッセージを追加したことに気づいたと思います。コミットメッセージは必須ですが、作業が一段落した際には、ついメッセージに「作業の続きをした」云々と〔適当に〕書いてしまいたくなるものです。この誘惑に負けてはいけません。コミットメッセージは、プロジェクトで何が行われたかを示す、非常に有用なログです。そのため、コミットメッセージはきちんと意味があり、かつ正確であることが望ましいのです。何かがうまくいかないためにある時点まで戻りたい場合や、何が変更されたのかを確認したい場合は、「作業の続きをした」のようなメッセージは、未来の自分自身や共同作業者にとって役に立たないでしょう。〔メッセージの〕もう一つの利点は、長期間にわたるプロジェクトに取り組んでいる場合、一日の終わりにその日どこまでやったのかを記録しておく必要がないということです。コミットメッセージに書いておけば、次の日に **git log** でそれを取り出すことができます。

作業中はいつでも、前回のコミット以降にどのファイルが変更されたのかを、次のようにして確認することができます。

```
git status
```

それまでのすべてのコミットを確認するには、次のように入力します。

```
git log
```

デフォルトでは、最新のメッセージが一番上に表示されます。次に示すのは、本章の草稿を書き始めたときの **git log** メッセージです。

```
commit a9aadf8a7fa1eba6bc52ec1233ee61d72ed9e52
(HEAD -> master, origin/master, origin/HEAD) Author:Jona
than Blaney <jonathan.blaney@sas.ac.uk> Date: Thu Mar 14
14:39:34 2019 +0000
Began writing Git section
```

さて、これでファイルをGitで管理できるようになりました。では、時計の針を巻き戻すにはどうすれば良いでしょうか？　もっともありがちなのは、ある一つのファイルが何らかの形で台無しになってしまった場合です。もしall-b-streets.xmlファイルの編集中にそのようなことが起こったら、**checkout**で最後のコミットに戻すことができます。

```
git checkout all-b-streets.xml
```

これで、ファイルは前回のコミット時の状態に戻ります。コミット後に行った変更は失われ、回復できません。これが、頻繁にコミットすべき理由です。失いたくない作業を少しでも行ったら、その都度コミットしておきましょう。

フォルダ全体を前回の（あるいは任意の）コミット時の状態に一時的に戻す（これを「チェックアウト（check out）」といいます）場合には、そのコミットのハッシュ値を指定する必要があります。ハッシュ値についてはすでにお見せしました。先ほどのログメッセージの最初に出てくる長い数字がそれにあたります。

```
commit a9aadf8a7fa1eba6bc52ec1233ee61d72ed9e52
```

```
(HEAD -> master, origin/master, origin/HEAD)
```

ハッシュ値は、フォルダの内容すべてを数学的にエンコードしたものです。〔Gitの〕ハッシュ値の長さは、フォルダのサイズに関係なくつねに40文字です。人間の目には、これらの値はまったくでたらめに見えます。連続したコミットのハッシュ値が、アルファベット順やその他何らかの順序を表すことはありません。あるコミット全体を「チェックアウト」するには、そのコミットのハッシュ値を指定する必要があります。うれしいことに、そのためには最初の7文字だけ入力すればOKです。というわけで、「Began writing Git section」というメッセージを書いた時点までチェックアウトするには、次のようにコマンドを実行します。

```
git checkout a9aadf8
```

実際には、タブ補完機能があるので7文字も入力する必要はありません。最初の2～3文字を入力すれば、コマンドラインがコミットの候補を提示してくれます。ハッシュ値はランダムな外見をしているため、提示される候補は少数でしょう。

Gitにはまだまだ学ぶべきことがありますが、まずは上記のワークフローに慣れましょう。その後で、**git push**や**git fetch**などのコマンドを使ってリモートリポジトリを使う方法を試せば良いのです。リモートリポジトリには、作業内容がリモートで同期されるので、バックアップが取れるという大きな利点があります。

もっとも複雑なステップは、共有リポジトリでの共同作業です。この場合、Gitの優れたコマンドを使って、メインブランチとは分かれて実験的な作業を行うことができる**ブランチ**（branch）を作成したり、**マージ**（merge）して統合したりすることができます。

つねにそうですが、ファイルをチェックアウトしなければならない羽目に陥るのは、本当に必要なときだけに限りたいものです。そういうわけで、練習してみるのが良いでしょう。フォルダを作って Git の管理下に置き、いくつかのダミーファイルをいじってみてください。コミットして、ファイルの内容を台無しにして、チェックアウトして、それをまた繰り返しましょう。まとめると、よくある一連の流れは次のとおりです。

- `git log`（最後のコミットメッセージを確認する）
- 何らかの編集作業を行う
- `git status`（どのファイルが変更されたかを見る）
- `git add`（残しておきたい変更ファイルを追加する）
- `git commit`（戻ってこられるポイントを作る）

Git を自分で直接使わなくても、他の人の Git リポジトリに出くわすことがあります。リポジトリの中身については、README.md という名前のファイルに要約しておくのが一般的です（この拡張子はマークダウン（Markdown）ファイルであることを意味します。これはテキストファイルに軽いマークアップを施したものです）。あなたが Git リポジトリを作成する場合も、ぜひとも README.md を作成して活用しましょう。このファイルは、そのプロジェクトのドキュメンテーションの一部であり、これは次節で述べる内容につながります。

ドキュメンテーション

ドキュメンテーションは、多くのデジタルヒューマニティーズのプロジェクトでもっとも軽視されている部分です。メタデータやバージョン管理は、華々しくはありませんが、地に足をつけたプロジェクトの開始のためには重要であると一般に認識されているため、これらは立ち上げプロセスの一部となっています。一方で、ドキュメンテーションは、プロジェクトの最後まで手つかずで残されることが普通ですが、それも仕方のない面があります。残念なことに、プロジェクトのライフサイクルの常として、プロジェクト終了時には、データの処理、調査結果の執筆、そして時にはウェブサイトの立ち上げで忙殺されます。そして皆、次のプロジェクトに移ってしまうのです。このような状況下では、ドキュメンテーションが疎かになったり、不十分なものになったりします。きちんとしたドキュメンテーションがなされないと、数年後にプロジェクトに関わった人々がプロジェクトの一部を忘れてしまったり、連絡が取れなくなったりしたときに、プロジェクトの有用性や寿命に災いすることになります。

これは誰かを非難したいのではなく、私たち自身の懺悔として言うのですが、ドキュメンテーションはこれよりもずっとしっかり行うべきです。一つのアプローチは、プロジェクトの最後にドキュメンテーションを行うための期間を明確に設けておくことです。これは良い考えである一方、他の作業の進捗が遅れた場合、ドキュメンテーション期間はバッファにされてしまうかもしれません。また、たかだか1年後であっても、文書化しなければならないプロジェクト開始時の詳細を思い出すのは難しいでしょう（ここでは、あらゆる研究計画をプロジェクトとして考えています。つまり小さな作業であっても、文書化されていないと見返すのに苦労することがあります）。したがって、プロジェクトの全期間を通じて、ドキュメンテーションを念頭に置いておくことが望ましいといえます。何か意思決定がなされたり、何らかの知見が得られたりするたびに、それをドキュメンテーションファイルに追加すれば良いのです（少々雑でも構いません）。そうすれば最悪の場合でも、情報は収集されます。もっとも上手くいけば、情報はきれいに整理されることになります。

グループで仕事をしている場合は、会議のメモを取ることもあるでしょう。これらは、いかなる意味においてもプロジェクトのドキュメントとして扱うよう留意してください。公開すべきアウトプットとして最初から処理しておけば、後で書き起こす必要がなくなるかもしれません。

Git を使用していない場合でも、README ファイルは作成しておくことをお勧めします。マークダウン記法に則っている必要はありませんが、あなたが使いやすく、気づいた問題や頭に浮かんだこと、選択したこと（とその理由）

などを素早く書き加えることができる形式であれば良いでしょう。前述の Git に関するアドバイスと同じことを繰り返します。すなわち「少しずつ、しかし頻繁に」ということが大事です。何かが起きるたびにドキュメントに数行ずつ書き加えていけば、それはやがてそのプロジェクトについての有用な情報の一覧となります。

プロジェクトの終わりにしか作成できないドキュメンテーションは、逃してしまったものに関する文書でしょう。つまり、プロジェクトというものは実現できなかった野望が残るものなのです。あなたのデータセットと一緒に活用できたかもしれない他のデータセットの提案であれ、さらなるデータのクリーニングであれ、あるいはコーディングのアイディアであれ、将来の作業への道筋を示しておくことは非常に有益です。これらは恥ずかしがらずに公表してください。プロジェクトが未完成に終わるのはよくあることです。後日、あなたがその作業に戻ってきたら、誰かが何かを追加してくれていて、さらに作業を進められるようになっているかもしれません。また、このようなオープンな姿勢が、将来の協同につながる可能性が高いことは明らかでしょう。

私たちはドキュメンテーションを、他の人が読んで理解できるようにするための公共的なアウトプットとして扱ってきました。これは素晴らしいアプローチであり、たとえプロジェクトを公開したり共有したりするつもりがなくても、そのようにすることをお勧めします。人は誰でも、今は当たり前だと思っていることはずっと続くと錯覚してしまうものですが、実際にはほとんどの人は細かいことをすぐに忘れてしまいがちです。このことを念頭に置いてドキュメンテーションを行えば、より分かりやすくなります。前提を当然のものと考えず、誰が見ても理解できるように書けば、ドキュメンテーションはより良いものになるでしょう。未来の自分は他人である、と思っていれば、大きな間違いはないはずです。

データ共有

デジタルヒストリーのプロジェクトでは、大量のデータが作成されがちです。

どんな研究でも事情は同じですが、デジタルデータの場合は、従来の紙ファイルよりもずっと簡単に共有・再利用が可能です。第2章で見たように、良いデータとは、データを良く理解している人がクリーニングと整理を行い、かつきちんとしたドキュメンテーションを伴っているものであり、それは非常に価値があります。いったんプロジェクトが終了したら、自分のデータを他の人が利用できるようにするのが望ましい習慣だと思いますが、後述するように、ライセンス上の理由でデータを共有しなければならない場合もあります。また、倫理的な問題も考える必要があります。第8章で説明するように、特に最近の歴史が研究トピックである場合、情報の蓄積・分析が容易なため、人々のプライバシーの権利や忘れられたいという思いに抵触する可能性があります。

プロジェクトの着想段階からデータを研究上のアウトプットと見なすのであれば、目先の目的だけでなく他の人にも役立ちうるような形でファイルを整理しておくことは有用です。たとえば、余計な部分が削除されたデータを相手にする方が、作業は簡単で速くなるでしょう。しかし、あなたにとっては余計なものでも、他の人にとっては重要なものかもしれません。そこで、あなたの作業ファイルからは不要な部分をどんどん削除するとして、ただし、削除作業を行う前のコピーを残しておき、それも公開するようにしましょう。ある情報を取り上げて、それが誰の役にも立たないものだと決めつけてはいけません。

ドキュメンテーションの重要性についてはすでに述べました。データについての道案内をすることは、将来のユーザを助けるための良い模範と言えます。優れたドキュメンテーションとは、たとえば「クリーニング済のデータセットはここにある」とか「このフォルダにあるプレーンテキストファイルは、マークアップされていることを除けば、このフォルダにあるXMLファイルと同じものである」といったことをユーザに伝えるものです。

研究者が自分のデジタルの業績をどのように共有するかを考える場合、たいてい真っ先に思い浮かぶ選択肢は、ウェブサイトの作成です。たしかに、特定のプロジェクトのために作られたウェブサイトは、そのプロジェクトに関わる大量のアウトプットを共有するためには便利な方法です。しかし、ウェブサイトの作成にはそれなりに大きな時間と費用がかかり、持続可能性の問題もあります。通常、大規模な助成金を得たプロジェクトであっても、助成期間を過ぎてしまうと、ウェブサイトのホスティングと維持にかかる継続的なコストをカバーする財源はなくなります。これは、デジタルヒストリーの体質的な問題であり、多くの優れたリソースが、消滅してしまったり、アーカイブ化されることで発見や再構築が困難になったりしています。

ウェブサイトは定期的なメンテナンスが必要です。WordPressのような無料で直感的に使えるプラットフォームを使ってウェブサイトを作成したなら、そのプラットフォームは、発見された脆弱性にパッチ当てをするための重要なアップデートを（まずまず適切に）提供してくれることが分かるでしょう。また、好みの機能を提供するプラグインやその他の追加ソフトウェアを使用している場合は、それらもアップデートが必要です。これは非常に面倒というほどのことではありませんが、サイトが存続している限りはずっと行う必要があります。

連絡先ページにメールアドレスを掲載する、あるいはメールアドレスにリンクさせるウェブフォームを設置する予定があるでしょうか。その場合は、誰かがそれを監視し、ときには返信する必要もあります。同様に、コメント付きブログは良いアイディアのように思えますし、そのとおりであることも多いですが、ブログへのコメントは、自分がコンテンツの投稿をやめた後も何年も管理する必要があるかもしれません。

古いウェブサイトや部分的にしか機能していないようなウェブサイトにプロジェクトをホスティングすれば、間違いなくユーザはプロジェクトの質を疑うでしょう。そのため、利用を開始する前に、代替手段を慎重に検討しておくことは重要です。自分のデジタルプロジェクトが、研究コミュニティにとって価値あるものであり続けることを望むなら、その仕事の持続可能性は、プロジェクトの終了時に後付けで考えるのではなく、プロジェクトの最初から組み込まれているべきです。

所属機関がウェブサイトの中長期的なホスティングを約束してくれることも

あるかもしれませんが、それ以外の選択肢もあります。所属先がある場合は、研究データや出版物のための独自のリポジトリを機関が持っているでしょう。これらのリポジトリは、あなたの業績のデジタルコピーを、アーカイブし、保存し、さらに（うまくいけば）アクセス可能にしてくれます。そもそも資料の登録を所属機関が義務づけている場合もあります。このようなリポジトリは専門的に維持される必要があり、さらにその中のデータは、保存されるとともに、必要に応じて新しいソフトウェアのバージョンやフォーマットに移行される必要があります。データの保存は一つの技術的なスキルなので、機関リポジトリを利用することで専門家の助けを得られるのであれば、困難な課題に対する最善の解決策となります。データセットのアップロード機能は機関リポジトリの標準機能ではありますが、スタッフがアドバイスをしてくれるでしょうし、より複雑な作業の代行さえしてくれるかもしれません。制約としては、アイテム単位あるいはコレクション単位のメタデータ項目に制限があるため、登録したいメタデータをすべてカバーできるわけではないことが挙げられます。そのような場合は、独自のメタデータファイルのアップロードを検討しても良いでしょう。使い勝手や持続可能性に鑑みると、たとえ他の方法も使ってデータ共有を行うとしても、機関リポジトリはデータの置き場として信頼できます。

非営利かつ学際的なプラットフォームである Humanities Commons のような分野特化型のリポジトリもあるとはいえ、やはり商用プラットフォームは主要なプレイヤーです。すでに GitHub については何度も触れましたし、私たちも本書のリポジトリを GitHub で管理していますが、他のプラットフォームもあります。Dropbox や Google ドライブは、技術的にはあまり重視されませんが、共有に使えるサイトです。通常、これらのサイトの基本的な利用は無料ですが、つねに利用条件は確認するようにしましょう。データの所有者は誰になるのでしょうか？　何らかの管理権を譲渡することになりますか？　そのプラットフォームは無断でデータを再利用する権利を持っているのでしょうか？　他の場所にもコピーは作られますか？

最後の、どちらかというと最低限の方法は、データセットをダウンロード可能なファイル、または zip ファイルとしてウェブページに置くことです。これは、ファイルを追加できるウェブページであれば何でも良いので、専用のウェブサイトの一部である必要はありません。ファイルはウェブサイトのサーバに置かれ、一つの HTML ページからリンクすることができます。リンクをクリックしたユーザは、ファイルをダウンロードするかどうかを尋ねられます。この方法は、手続きが簡単かつ自分の管理下に置くことができますが、あなたのデータは、そもそもそのウェブサイトを見つけた人にしか発見されないでしょう。

さて、誰かがあなたのデータセットを見つけたとして、どのような再利用が許されるのでしょうか？　これはあなたが決めれば良く、ライセンスに明記しておくべきです。ライセンスは既存のものがあるので、自分で一から書く必要はありませんし、それはやめておいた方が良いでしょう。ソフトウェアの場合は、MIT ライセンスや GNU General Public License などがあります。人文学の研究成果については、クリエイティブコモンズ（CC）ライセンスを使うことを強くお勧めします。CC ライセンスには複数のオプションがあり、再利用のされ方を細かく管理することができます。表 6.1 に主なオプションの概要を示します。

表 6.1 クリエイティブ・コモンズ・ライセンスの種類

略号	説明
CC0	もっとも自由な形のライセンスであり、ユーザは何を行っても良い
CC-BY	目的を問わず利用可能だが、原作者の明示が必要
CC-NC	非営利目的であれば利用可能
CC-SA	利用可能だが、〔改変などの〕結果として生じた著作物は、より制限的なライセンスで公表することはできない〔元の著作物と同じライセンスを継承する必要がある〕
CC-ND	利用可能だが改変不可

たとえば、CC-BY-NC は、非営利目的かつ原作者のクレジットつきであれば再利用できる CC ライセンスです。一方、CC0 は非常にオープンなライセンスで、Wikimedia Commons や Unsplash などのサイト[5)]で写真を公開する場合などに適しています。しかし、学術的な成果は、クレジットの表示にふさわしいことが明らかなので、多くの場合、CC-BY を選択するのが適切です。

デジタルヒストリーで実践されている類の成果物や、他の人がデータを再利用する利点に鑑みると、派生物を認めないライセンス（CC-ND）は制約が厳しすぎて役に立たないため、避けるべきです。たとえば、データにはよりオープンなライセンスを適用し、文書によるアウトプットや後から公開したいもの（可視化、ビデオ、音源など）にはより制限の強いライセンスを適用する、というように使い分けをすると良いでしょう。

多くの研究者は、自分の研究成果を発表した後にはじめてデータを公開する、という方法で、はっきりと優先づけを行っています。機関リポジトリにはこの機能が組み込まれているはずなので（学術誌出版には一般にエンバーゴ期間〔出版社が有償購読者のみに全文の利用を許可する、刊行後の一定期間〕があるため）、データを安全にリポジトリに置いてから、適宜のエンバーゴ期間を設定すれば良いでしょう。

＊＊＊

私たちは本章を、ピーター・スーバーの楽観的な言葉、すなわち「基本的に無料で」成果は共有できる、という強い主張の引用から始めました。私たちはデータ共有の支持者ですが、実際にはかなりのコストがかかることを本章では示したつもりです。デジタルヒストリーの環境コストについては第 8 章でより一般的な話をしますが、ここでは、データの複数のコピーを持つことは環境に影響を与えるということを心に留めておきましょう。デジタルデータは、ときに無体物と見なされますが、それは違います。データを真に再利用可能にするためには、かなりの労力が必要であることを、本章を通して分かっていただけたことと思います。その努力には見合う価値があると私たちは考えていますが、ともあれ必要な労力を過小評価してはいけません。

1　Suber, *Open Access*.

2　Suber, *Open Access*.

3　メタデータとその歴史については、次の文献が興味深い。Gartner, *Metadata: shaping knowledge from antiquity to semantic web.*

4　Chacon and Straub, *Pro Git.*

5　Wikimedia Commons, https://commons.wikimedia.org/wiki/Main_Page; Unsplash, https://unsplash.com/（both accessed 10 July 2020）.

第7章

データの可視化

いまや、情報がどれだけあるかではなく、どれだけ効果的に配置されているかが重要なのだ。[1)]

これまで私たちは、主にテキスト形式のデジタルデータを新たに作成してきました。つまり、第3章でアナログのテキストをデジタル化し、第4章と第5章ではデータから情報を抽出し、第6章でバージョン管理やドキュメンテーションを行いました。これらのデータはすべて、基本的にはプロジェクト内部のデータといえます（とはいえ他の人たちにも有用なものである可能性についても示唆したところです）。本章では、データを他の人たちと共有するための可視化の手法に話題を移しましょう。まず、可視化の実践について、またこれまで「ベスト・プラクティス」としばしば見なされてきたものに対する疑問点について、議論します。次に、ファイルから数値データを抽出し、チャートやプロットで可視化する方法について見ていきます。最後に、地図の作成方法と画像の一般的な扱い方について述べます。具体的には、郵便住所録のデータに立ち返り、いくつかのチャートと一つの地図を作成することで、これがどういうことなのかを示したいと思います。本章で実践する可視化の方法については、他にも多くの選択肢がありえますし、改善の余地は大いにあるでしょう。本書の手法への批判や、より良い方法の提案は大歓迎です。

これから、人に見せるための可視化に焦点を当てていきますが、他の人が見るための成果を作成することと、自分のためにアイディアを発展させたり自分のデータの概要を把握したりすることとは、必ずしも峻別できるものではありません。ちょうど、着想がきちんと書き上げられる過程でさらに発展することが良くあるのと同じように、自分のデータをさまざまな方法で可視化することによって、新たな洞察を得たり研究の道筋が見えてきたりすることがあります。

可視化と歴史実践

データ可視化の第一人者であるエドワード・タフティ(Edward Tufte)は、データの公開にあたっては「データを薄く」ではなく「情報を厚く」すべきだと主張していますが、これは納得がいきます。そうしないと、見た人は何が省略されているのかが気になってしまうと彼は主張しています。しかし、彼は著書『情報を可視化する』(*Envisioning Information*)の中で、このような複雑さを表現することは困難かつコストもかかることに注意を促し、例として高品質な地図作成に必要な技術を挙げています。[2)]

そのため、データの可視化は、何を達成しようとしているのか、それを作業全体の中でどのように組み込むのかを明確に認識した上で、熟慮して行う必要があります。高品質な地図の水準には及ばないとしても、ジャーナルに論文を投稿する前日に拙速なグラフを作らなければならない羽目に陥ることは避けられますし、データ可視化の際にはまりがちな落とし穴もいくらかは避けることができるでしょう。

また、歴史研究者としては、たとえデータが可視化されていても、そのデータが実際に表しているものは何かということに対して注意を払い続ける必要があります。歴史研究者である私たちは、歴史データが今日までどのような形態で残るのかは、その収集・保存につながった前提や価値観を反映しているということをよく知っています。歴史データの多くは失われており、現在残っているものは不確かで誤読を招きうるものなのです。ジェームズ・C・スコット(James C. Scott)は著書『国家のように見る』(*Seeing Like a State*)の中で、「読みやすさ」を求める諸国家の願望の結果、当局が「複雑で判読できないローカルな社会的慣習」を「中央政府が記録し得る標準的な枠組」へ、どのようにして強制的に変えていったのかを探っています。[3)]

タフティの主張する「読みやすさ」とスコットの主張する「複雑で読みにくいもの」との折り合いを、どのようにつければ良いのでしょうか。ジョアンナ・ドラッカー（Johanna Drucker）は、みずから挑発的と認めている記事の中で、データを「capta〔「つかみ取られた」を意味するラテン語〕」と言い換えることを提案しています。これは、私たちがデータ〔data は「与えられた」を表すラテン語〕と呼ぶものは、与えられたものではなく意識的に取得されたものであり、知識とは「単に既存の事実の自然な表現として与えられるものではない」という語源的な発想によります。ドラッカーは、特に可視化において、「私たちは、性急に可視化をしようとするあまり、みずから進んで批判的判断を一時停止しようとしているように見える」と懸念を表明しています。[4)]

ドラッカーは、可視化に不確かさを含めたいと考え、とり得る手法の例を挙げています。一方、ディグナツィオとクレインは、標準的な手法に対して異なる批判を行い、感情を含めること（これを彼らは、データの「本能化(visceralize)」と呼んでいます）を提唱しています。この点についてディグナツィオとクレインは、感情を可視化から排除すべきだというタフティの主張は「感情と理性の誤った二項対立」であり、それによって論理がジェンダー化されてしまっていると批判しています。[5)]

ほとんどの歴史研究者はディグナツィオとクレインの意見に同意するでしょう。他者の人生を研究する際には、どのような努力を払って理解しようとするにせよ、共感と同情が必要条件であることは間違いありません。かつての歴史研究者は、公刊する文章においてはそのような感情を排除することが適切だと感じていたかもしれませんが、現代においては、第1章で述べた、アメリカの奴隷制度を経済単位の観点で記述する際のコンラッドとメイヤーの場合のような、真っ白な中立性に従う歴史研究者は、ほとんどいないでしょう。

ドラッカーの忠告は傾聴に値すると私たちは考えます。歴史研究者にとって可視化は、それ自体で孤立した領域ではありません。可視化は、私たちが自らの仕事を通じて示したいことを伝える手段でなければなりません。そして、その一部は実際に、不確かさや共感かもしれませんし、少なくとも、歴史研究の背後にある、かつて生きられた現実でしょう。

前述の区別に話を戻すと、ここで考えなければならないことの一つは、その可視化は誰のためのものなのかということです。タフティと、ディグナツィオ、クライン、ドラッカーなどの批評家との間で行われた議論が前提としているのは、研究者にとって既知の結果を見せるための可視化です。不確かさを伝える方法についてのドラッカーの考察では、その不確かさをすでに理解している研究者と、理解していない一般の人びとを想定しています。

大量のデータを扱う場合、素早く可視化をたくさん行って、自分や共同研究者が目を通したり、並べて比較したりすることができるようにすると便利です。これは、あくまでデータ内のパターンを発見するための補助手段なので、明晰さや情報量といった点で規範的な標準を満たしている必要はありません。何百ものプロットやチャートを作成すると、人間に備わっているパターン認識能力によって、興味深い、あるいは例外的な結果がデータから見出せることがあります。これを行うためには高速なツールが必要で、私たちがお勧めするのはgnuplotです。gnuplotは無料かつ異なるOS・ハードウェア等でも利用可能であり、コマンドラインから操作します。また、古くからあるソフトウェアなので、他の多くのソフトウェアと連携して動作します。[6] gnuplotは科学者によく使われていますが、多数のプロットやチャートをギャラリーに並べて素早く見ることができるので、大量のデータを扱う人であれば誰にとっても便利です。同じことは、好み次第でRやPythonなどのプログラミング言語を使って行うことも可能です。ネイサン・ヤウ（Nathan Yau）の著書『これを可視化する』（*Visualize This*）では、Rを使った非常に明快な例が紹介されており、プログラミングの予備知識は不要です。[7]

このような可視化を手早く行うことの副次的な効用は、ヤウが指摘しているように、外れ値や予期せぬパターンがシンプルにエラーの存在を示してくれることがあるということです。そのため、可視化はデータクリーニングの一部をなすとも言えるのです。[8] その意味で、〔データの〕乱れの存在こそが勉強のポイントと言ってよく、また、歴史研究者にとってはおなじみの事実に気づかせてくれることになります。つまり、データは偶然の産物であり、部分的なものにすぎず、きれいで洗練された発表済みの可視化が示すような扱いやすいものではない、ということです。

数値データの可視化

この課題には、2段階で取り組むことにしましょう。まず、郵便住所録から、いくつかの数値データを可視化プログラムで利用可能な形式で直接抽出します。次に、このデータをプロットする方法を調べ、もっとも適切と思われる方法を選択します。抽出されたデータは本書のGitHubリポジトリで公開されていますので、ぜひ自分で試してください。

ここでこれから取り組むのは、データソースから数値を抽出して処理するという、データの操作それ自体です。その結果として得られたデータの統計分析とそれが持つエビデンスとしての可能性は、より複雑な問題であり、そのプロセスについては私たちはほとんど語ることができません。というのは、歴史データについての統計学的主張は、それ自体はデジタルヒストリーの領分ではなく、多くの微妙な点を持つ専門分野であるためです。訓練を受けた統計学者でさえ、結果の意義・意味の解釈について、学問的誠実さから互いに意見を異にすることがよくあります。[9] 統計学を一般の人々に伝えることを専門とするデイヴィッド・スピーゲルハルター（David Spiegelhalter）は、次のように警告しています。

> 統計学的なスキルの必要性から解放されるどころか、増え続けるデータや、科学的研究の数と複雑さの増大により、適切な結論を導き出すことはいっそう難しくなっている。データが増えるということは、エビデンスが実際にどのような価値を持つのかを、よりいっそう意識する必要があるということだ。[10]

これは絶望ではなく、あくまで注意を促すものです。十分に統計学の経験を積んでいないのであれば、スピーゲルハルターのいう「捜査的統計学（forensic statistics）」に専念することをお勧めします。これは「より興味深い問題につながりうるパターンを、数学も理論も使わずにただ探す」[11]というものです。

研究内容が（複雑さの度合いにかかわらず）統計分析に依存している場合は、そこから導き出される結論を発表する前に、専門家に確認するべきです。この分野では、訓練を受けていない人はもちろん、訓練を受けた人でさえも、見当違いな判断をしてしまう可能性があるのです。[12]

嬉しいことに、テキストを扱う章で説明した技術の多くは、文中や表中の数字に対しても同じように使えます。ここまでテーマの一つとして述べてきたように、多くの作業はデータのクリーニングと処理に関するものです。そしてここでも、単に興味ある数字を抽出するだけでなく、以降のステップで使える構造にフォーマットするために、正規表現が重要なツールとなります。

ここで何を使うかは、目的やその複雑さによって異なります。Microsoft Excel のようなスプレッドシートプログラムでは、大量の数値処理を行うことができます。しかし、何か非常に複雑な作業を行う場合には、専用のプログラムを学んで使う必要があるかもしれません。デジタルヒューマニティーズの分野でよく使われているフリーソフトウェアの例としては、統計プログラムである R と、汎用的なプログラミング言語である Python に付随するライブラリ（NumPy など）の 2 つがあります。また、社会科学分野で使われている商用ソフトウェアの SPSS も挙げておきましょう。SPSS は大学で広く使われているので、大学に所属していれば、アクセスできたり使用法の研修を受けられたりするかもしれません。

スプレッドシートプログラム（簡単に「Excel」と書くことにします）を使用する場合、いくつか注意すべき点があります。Excel はフィールドコントロール（誤った文脈に入れると意味をなさない不適切な種類の値やデータの追加を防ぐ機能）を、自動では提供しません。逆に、データベースを新たに作成する際には、各フィールドにどのような種類のデータが入り得るかを指定しなければなりません。そうすることで、たとえばユーザが整数や日付のフィールドにテキストを追加してしまうような事態を阻止できるでしょう。Excelではフィールドコントロールを設定することができますが、ほとんどの人は行っていません。また、これは重要なことですが、何かのデータをExcelで開く場合、あらかじめフィールドの型を設定しておくことはできないため、元の値を不可逆的に損なってしまうことがあります。Excelは親切にもデータ型を認識しようとしてくれるのですが、良く間違えるのです。たとえば、長い数字（123456789）が科学的記数法に変更されて「1.23E+08」のような形に変換されたり、「1-20」という数値の範囲が「1月20日」という日付に変わったりしてしまいます。大規模なスプレッドシートでは、このような変更が起きても気がつかないかもしれません。

Excelは広く使われているので、Excelでデータが台無しになったという話には事欠きません。Excelは企業向けに設計されており、財務データを扱うのには最適です。非はExcelにあるのではなく、Excelを使うという選択にあるのでしょう。[13] 簡単な計算のためにExcelを使うのは良い選択ですが、数学コミュニケーターのマット・パーカー（Matt Parker）の「重要な作業をスプレッドシートで行うのはよくない」[14] という意見はもっともです。

Excelは CSV ファイルや TSV ファイルを開くことができます。ファイルを独自の形式である「.xlsx」で保存するように繰り返し提案されますが、無視して構いません。データをまず〔CSV形式ではなく〕TSV形式で作成しておいてから、Excelで開くことをお勧めします。これは、タブはデータそれ自体の中に含まれないことが多いためです（区切り文字は、ファイル内で他の用途に使われていないものであることが理想的です）。史料テキストの中にあるコンマは、当然のことながら普通のコンマとして使用されている可能性が高いでしょう。すでに見たように、件の郵便住所録では行内に複数のコンマが含まれている場合があります。

これまで作業してきたデータをもとにExcelで何らかの計算をしたい場合は、どのようにすれば良いでしょうか。**grep**を使ってXMLファイルの集合からテキストを抽出し、正規表現を使ってタブを追加し、その結果をTSVとしてExcelのスプレッドシートに貼り付けることができます。タブ文字 **^** は、正規表現の置換フィールドに **\t** を使用すれば置換することができます。

まず、第5章で行ったような作業をもう一度やってみましょう。すなわち、通りのリストからの職業の抽出です。ただし今回は、もっとも頻度の高い職業をリストの上位にソートすることにします。[i]

```
grep -Eoh ", [^,]+</addr>" *.xml | sort | uniq -c | sort -nr
```

これを実行するとどうなるか覚えていますか？　覚えていなくても心配ありませんが、ぜひ自分で試してみることをお勧めします。コマンドを左から順に分解して、一つずつ組み立てながら実行してみてください。理解度の確認のために、以下のコラムに詳しい説明を書いておきました。

職業を抽出する

まず、職業についての大まかな目安として、リスト上の各行の最後のコンマ以降にあるものをすべて検索したいと思います。そのためには **grep -E** で導かれる正規表現が必要です。また、欲しいのはマッチした部分の結果だけで、行全体は不要なので、**-o** も必要になります。最後に、ファイル名を非表示にするためのフラグである **-h** を追加しましょう（これがないと、各行のファイル名が固有のものとして働いてしまうため、職業別のグループ化ができません）。

```
grep -Eoh
```

ここで使う正規表現は、**, [^,]+</addr>** です。すなわち、「コンマ、スペース、コンマ以外の何かの1つ以上の繰り返し、</addr>」という文字列を探す表現です。これは、各行の最後のコンマを指定する手段として行っています。

i　カレントディレクトリは「XML」にしておく。

また、最後のコンマの前にも有用な職業情報があるかもしれません。それを確認するためには、より包括的な正規表現である **,.+</addr>** を使うことができます。両方を試して、違いを見てみましょう。ということで、次のコマンドを使えば、すべてのファイルのすべての結果を1行ごとにリストアップすることができます。

```
grep -Eoh ", [^,]+</addr>" *.xml
```

次に、一意な職業名の文字列をカウントしたいところですが、その前にソートしなければなりません（**uniq** コマンドを使うにはソート済みのテキストが必要であるため）。そうすれば、一意なものをカウントすることができるようになります。

```
grep -Eoh ", [^,]+</addr>" *.xml | sort | uniq -c
```

最後に、再びソートを行います。数字が出てきたので、**sort -n** を使って数字でソートしましょう。何もフラグを立てなければ、1、2、3…と昇順でソートされますが、私たちにとってもっとも関心があるのは大きな数字なので、**sort -nr** でソートを逆順にします。 というわけで、次に示すのがコマンド全体となります。

```
grep -Eoh ", [^,]+</addr>" *.xml | sort | uniq -c | sort -nr
```

結果の最初の方の行は、おおよそ以下のようになるはずです。[ii]

ii　現在、GitHub リポジトリ内の「XML」フォルダには、同フォルダ内の他のすべての XML ファイルの内容を統合した「all-b-street.xml」（131 ページ参照）があるため、このコマンドをそのまま実行すると、重複してカウントされた結果として倍の数値が

```
199 , baker</addr>
163 , grocer</addr>
152 , tailor</addr>
148 , solicitor</addr>
128 , bootmaker</addr>
127 , greengrocer</addr>
124 , beer retailer</addr>
118 , butcher</addr>
116 , chandler's shop</addr>
112 , sec</addr>
109 , coffee rooms</addr>
101 , tobacconist</addr>
```

まず、これらの結果を、「.tsv」を拡張子として持つファイルに書き込むことにしましょう。上矢印キーを使って、コマンド履歴をさかのぼり、先ほど入力した長いコマンドを表示させます。そして、その末尾に **> professions.tsv** を追加すれば、完全なコマンドが出来上がります。

```
grep -Eoh ",[^,]+</addr>" *.xml | sort | uniq -c | sort
-nr > professions.tsv
```

こうして作成された新しいTSVファイル「professions.tsv」をテキストエディタで開いてください。そして、すべての行が次のような形式、つまり数字と職業の間にタブが入っている形になるように、テキストを操作する必要があります。

表示されてしまう。そのため、本章の実習にあたっては、いったん当該フォルダからall-b-street.xmlを除いておくのが望ましいと思われる。

```
199 baker
163 grocer
152 tailor
```

これは2つの正規表現と1つのリテラルな検索・置換で行うことができます。注に示した解法を見る前に、まずは自分でやってみましょう！[15)]

さて、これでようやくテキストがExcel（または同様のソフトウェア）で扱えるものになりました。TSVファイルを開くもっとも簡単な方法は、Excelのアイコンに TSVファイルをドラッグすることです（すでにExcelが開いている場合は、プログラムのウィンドウにドラッグします）。もうひとつの方法は、TSVファイルを開くプログラムとして、システム上でExcelを選択することです。

ちなみにこれは、一方通行ではありません。いったんデータがExcelに入れられても、テキストエディタでTSVやCSVファイルとして開くことで、あるいはコマンドライン上で、テキストとして操作することができます。可能な限りプレーンテキスト形式が良いとする理由の一つは、このようにさまざまなツールを利用できることです。データの一部だけを操作したい場合は、その1列か2列だけをテキストエディタに貼り付け、正規表現を使って変更を加えた後、再びExcelに貼り付ける方が往々にして簡単です。その理由は、多くの列を扱っている場合、正規表現を1つの列のみに適用することは複雑な作業となり、間違いが起きやすいからです。概して正規表現は、スプレッドシートの1つの列だけに変更を加えるといった、ドキュメントの構造を扱うのに適したツールではありません。

この郵便住所録のために調査員が集めたデータの正確さについての懸念はいったん脇に置くとして（アトキンスによるデータのサンプルチェックの結果、誤りが非常に多いことが分かっています）、[16)] データのデジタル利用における2つの側面について考えてみましょう。第一の側面は、どのような方法であれ、文字起こしや転写の過程では必ず誤りが起きるものだということです。私たちは、結果の妥当性を検討する際にこの点を念頭に置いておくだけでなく、研究成果を発表する場合などには、その正確さの程度についてオープンにしておく必要もあります。第二の側面は、データから得られる数字は、多くの場合、何か特定の方法でカウントされたものであるということです。デジタルツールを使えば素早く便利にものをカウントすることができますが、私たちが意識してカウントしたものだけがカウントされている、という事実に留意しなければなりません。

簡単な例を挙げれば、もし誰かが、印刷された本と鉛筆と紙を使う昔ながらの方法で､通りの一覧に記載されている女性の数をカウントしようとした場合、通りをいくつかサンプルとして選び出してから、念入りに目を通して女性の敬称を探すことができるでしょう。ここで気をつけなければならないであろうことが2つあります。それは、サンプルが偏っていて代表的なものではないかもしれないということと、カウントする際に人為的な間違いが起こりうるということです。これは手間のかかる作業ですし、通りを適切にサンプリングすることは難しいので、結局は時間を費やすだけの無駄な作業に終わってしまうかもしれません。

機械は疲れることもなくミスもしないので、デジタルテキストになった住所録の女性の敬称を数えれば、すぐに正確な答えが得られるだろうと思いたくなります。しかし、ここでいう「女性の敬称」とは具体的には何を指しているのでしょうか。人が1つずつ項目を読んでいくのであれば、たとえば「Marchioness」や「Signora」が女性の敬称であることは直感的に認識できるでしょうが、検索する場合は「Marchioness」や「Signora」を含めるように明示的に指示しないと、それらは検索対象になりません。

上で作成した情報を可視化するには、さまざまな方法があります。すでにそれらの方法を使った経験があるのであれば、私たちのアドバイスは不要でしょう。ここでは、適切な散布図と棒グラフを作成するための基本にもっぱら取り組むこととし、ヒストグラムや折れ線グラフのような他の選択肢についても言及しようと思います。初心者は、まずこれらの基本をマスターしてから、より難しい技術に進むと良いでしょう。

可視化は、それ自体で理解できるものでなければならず、文章による説明を必要としないものです（キャプションや凡例などは可視化の一部です）。そのためには、チャートの軸にはラベルを付け、数値の場合は、特段の理由がない限り、ゼロから始める必要があります。[17] 一般的には、目盛（一見して分かりやすい大きさや方向を示す、軸に沿って設けられた小さな定規のような等級）を使用するのが良い作法です。また、きちんと情報を示すタイトルを付すことを忘れないようにしましょう。

タフティが「チャートジャンク（chartjunk）」と名づけたもの、つまり、アクセスすべき情報から注意をそらす原因となる不要な要素については、排除するべきです。たとえばタフティは、濃い色のグリッド線はチャートジャンクであるとしており、色を薄くするか、すっかりなくしてしまうことを提案しています。[18] つねに情報自体に焦点を当てるべきです。情報は複雑な場合もあるので、むやみに単純化してしまってはいけません。本章の冒頭で述べたように、誤解を招きかねない形で単純化されたりクリーニングされたりした情報の危険性は、歴史研究者が可視化したいと考えるような種類の情報の場合には、より深刻かもしれません。これが課題なのです。

あまり冒険的な方法とは思えないかもしれませんが、数値が多すぎて表の形では簡単に比較できない場合、静的な数値同士を比較するには棒グラフが最適かもしれません。表を使うかチャートを使うかの分岐点はどこでしょうか？これは、単に文字による説明よりも視覚的な表示を好む人もいれば、その逆の人もいるので、場合によりけりです。しかし、2桁の数字になったら、表よりもチャートにすることを検討すると良いでしょう。棒グラフの水平線は、小さな違いを目に見える形にしてくれます。そのため、値同士が近い場合は〔散布図のような〕プロットよりも〔棒グラフのような〕チャートを選ぶようにし、円グラフは特に避けるべきです。

総量（たとえば国家予算など）を示す円グラフは、イデオロギー的な主張をすることがあります。予算が固定量であるかどうかは意見の分かれるところでしょう。円グラフは、ある量や資源に一定の限界があるという印象を与えます。つまり、家族の一人がより大きなパイを食べれば、他の誰かの分が減ることになる、というわけです。ハドソン（Hudson）と石津（Ishizu）は、円グラフは「全体の割合を構成する変数が比較的少ない場合に有効」だと論じています。[19]

これは最終的には好みの問題かもしれませんが、私たちは円グラフの使用は控えめにすべきだと考えています。なぜならば、円グラフの中では量の比較が難しいためです。たとえば円グラフでの10%（角度36°で表現されます）が可視化されると、どう見えるのでしょうか。近い量である32°や35°は、同じような良く似た扇形になります。各区分にラベル付けをした結果を見てみると、いっそ表で数字を示した方が良かったと思うことになるかもしれません。多くのスライス〔円グラフの各区分のこと〕を持つ円グラフでは、各スライスが何を表しているのかが分かるように、それぞれの数字にラベルを付けるのは難しいものです。そのため、全体から1つまたは複数の部分を切り離した形の分解円グラフが使われることがありますが、そうするとスライス同士の大きさを比較することがさらに難しくなります。そして円グラフの最後の問題は、色と良い色の選択に依存していることです（色についての注意点は後述します）。良い円グラフは存在しない、ということを言いたいのではありません。しかし、もし円グラフを作りたいのなら、効果的な方法を注意深く考える必要があります。[20]

散布図は時系列データに適しています。特に、複数の異なる量が相互に関連して変化する場合や、値が急に上昇・下降する場合にはそうです。もし何十年にもわたる郵便住所録のデータが手元にあれば、互いに関連するさまざまな職業の盛衰を表すことができるでしょう。たとえば、1850年から1950年までのデータを使って、鍛冶屋と自動車整備士の数をチャート化してみることができます。当然、前者は減少し後者は増加することが予想されますが、整備士の数を示す線が鍛冶屋の下降線を上回る時点は、意外にも遅い、あるいは早い可能性があります。[21]

同じ目的に棒グラフを使うのはどうでしょうか。今、可視化しようとしているデータについて考えてみましょう。すでに何度か述べたように、この郵便住所録のデータはそれほど信頼できません。つまり、任意の年のロンドンの各職業の正確な人数が分かるようなものではないのです。このデータはあくまで目安なので、経年変化の傾向を表す散布図の方がはるかに適しています。棒グラフを使うと、見た人は数字を実際よりもずっと正確なものであると考え、年ごとの値のわずかな違いに意味を見出してしまうかもしれません。これはミスリーディングです。

ヒストグラムは棒グラフと似ていますが、変数は1つだけです。たとえば、各年の郵便住所録から、鍛冶屋だけを取り上げて数十年間の動きをざっと把握したい場合、ヒストグラム（変数は鍛冶屋の人数）が適しています。ヒストグラムは、たとえば正規分布のような既知の統計パターンに合致しているかどうかの確認が容易にできるため、統計データに最適です。この鍛冶屋の例で言えば、その人数は着実に減少することがどこかの段階で予想されるので、その傾向から何らかの逸脱があれば、調査する価値があるということになります。

最後に、折れ線グラフは、データを簡約化して大まかな傾向を示すのに便利な方法です。[22] これはフリーハンドで描いたような不規則にくねった線であり、複数のものを並べて配置し、それらの傾向を素早く比較することができます。たとえば、件のロンドンのデータから、それぞれの通りの数十年間の死亡率を計算すれば、通りごとに折れ線グラフを作成することができます。ほとんどの通りで上向きの曲線が描かれることになると予想したくなりますが、突然の増加や減少など、全体的な傾向からの逸脱がもしあれば、その通りの歴史を良く調査すべきです。折れ線グラフは、これまで議論してきた2つの可視化カテゴリの両方において使用することができます。つまり、これは実践的な研究方法であると同時に、（それによって明らかになった傾向に他の人も関心を持つかもしれないので）アウトプットにもなりえるのです。

さて、件の郵便住所録データを可視化する2段階の試み〔数値データの抽出と、適切な可視化の選択〕のうち、一番目の点については、**grep** を使って抽出した職業情報を見ることにしました。これについてはまず第5章で扱った後、本章でも確認した上でExcelに貼りつける方法について説明しました。

そしてこれから見るように、最終的には、おなじみの積み上げ棒グラフが可視化には最適だと判断しました。そこでも検討過程は、本書ですでに触れた多くのテーマをなぞるものでした。つまり、データに内在するバイアス、データのエラー、情報の抽出方法に含まれるノイズ、データのクリーニング方法や表示方法の選択などです。

これでようやく、この可視化が何を意味するかについて考えることができます。第3章では、これまでの経験から、デジタルヒストリーのプロジェクトではデータのクリーニングに多くの時間を要すると述べました。これは、以下に述べる可視化に使用した職業データについても同様でした。最初に**grep**によって作成したものをクリーニングすることにこれまで多くの時間が費やされました。この作業の成果は、リポジトリ内の「data」フォルダの中にある「professions-data」フォルダ内に入っています。ファイル「professions.csv」は、第5章で職業を抽出するために行った**grep**の実行結果です。このファイルを開くと、有用なデータだけでなくノイズが混じっているのがすぐに見て取れるでしょう。これは、ファイルが大文字の文字列を先頭にしてソートされているからです（この住所録では職業は通常、小文字で記されています）。

このファイルの中には、「Col.Vickers」や「F.R.M.S」といった、全く関係のないデータが含まれています。はじめは、シンプルにリストに目を通して、こういったものを手作業で上から順に削除していきましたが、この作業中、次のような別種の問題が現れてきました。

- 職業名の前に、会社名のような余計な情報が入っていることがある
- 大文字による表記ゆれ（例：「Butcher」）
- 複数形による表記ゆれ（例：「merchants」）
- 略語の表記ゆれ（例：「mfrs」や「mfs」）
- 職業名の変種（例：「大工（carpenter）」と「家具職人（cabinet maker）」）

- 職業名と施設名のどちらも意味しうるものがある（例：「coffee house」）

この時点でいくつもの決断をせまられ、そのすべてが議論の余地のあるものでした。「コーヒーハウス（coffee house）」や「下宿屋（lodging house）」などは、記載されている人の役割（オーナーなのか、マネージャーなのか、その他なのか）がはっきりしないので、削除することにしました。いくつかの職業は統合しました。たとえば「豚肉屋（pork butcher）」は、今回の調査では単に「肉屋（butcher）」とすることにしました。他の職業については区別を残しました。たとえば「大工（carpenter）」と「家具職人（cabinet maker）」は十分に異なると考え、統合しなかったのです。こうした決定については、いずれも迷いがなかったわけではありません。

この作業の多くは骨の折れる仕事で、楽に済ますという選択肢もほとんどありませんでした。この作業を行って良かったことは、可視化を行う前に、否応なく結果を仔細に見て考察せざるをえなかったことです。もし、完璧に整った職業のデータセットを入手していたとしたら、私たちはこれほど注意深くはならなかったかもしれません。

データクリーニングが終わると、可視化する価値があるものは何かを判断しなければなりませんでした。男性の職業の上位10種は、事務弁護士、パン屋、靴屋、食糧雑貨商、仕立て屋、ろうそく屋、肉屋、ビール小売店、八百屋、タバコ屋でしたが、これについては特に可視化する価値があるとは思えませんでした。一覧には現れてこないような知見を何か得ることができるでしょうか。「事務弁護士」が上位に出てきたことから、「男性の上位職業について、男女で数を比較する」という私たちの当初のアイディアに疑問が生じました。というのは、女性が事務弁護士の地位に就けるようになったのは、1919年の性差別撤廃法の成立以降のことだからです。[23)]

そこで、代わりに、女性の職業の上位10種類を可視化し、同じ職業に就いている男性がどのくらいいるかを調べてみることにしました。図7.1は、これらの職業の積み上げ棒グラフです。使用したソフトウェアは、データ可視化のためのオープンソースのウェブアプリケーションである Vega です。[24)]

この可視化によって、それまでデータを見ていて気づかなかった事実が、すぐに明らかになりました。それは、これらの職業においてさえ、多くを占めるのは男性だということです。これは、肉屋のような（予想のつく）職業だけでなく、裁縫師（dressmaker）や婦人用帽子屋（milliner）でもそうなっています。これらの職業の中には、さらに調査を要するデータ上の問題がありそうに見えます。前述のとおり、可視化は、プロセス内のエラーを示す効果的な方法なのです。

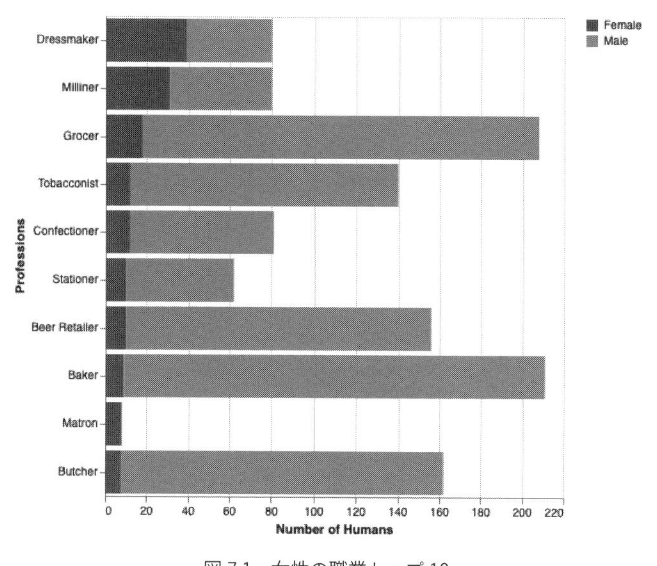

図 7.1　女性の職業トップ 10

男性としてリスティングされている婦人用帽子屋や裁縫師がこれほど多い理由を確認するためには、元となった通りのデータ（XML でもプレーンテキストでも）を **grep** で検索すれば、結果を見ることができます。作業に手をつけてみるとすぐに、この手順には重大な問題があったことが分かりました。第 5 章では、女性を特定するための目印として「Mrs」と「Miss」を使用すると述べました。他の女性の敬称は、全体としては、数字を出すうえで影響がないくらい稀であるとわれわれは考えていました。しかし「milliner」と「dressmaker」

で **grep** すると、これらの職業に就いている女性の多くが「Madame」という敬称を持っていることが判明します。続いて「Madame」を **grep** すると、裁縫師と婦人用帽子屋が、データ内のこの敬称のほぼすべてを占めていることが分かりました。このような敬称の変種を無視するという決定は、通常は合理的な判断だったかもしれませんが、この特定の女性職業に対しては間違っていたのです。このことを説明できるよう、修正した可視化を行うことは容易です（本章ではそこまで行っていません）。

既婚女性と未婚女性の職業の簡単な区分がすでにできているので、次に、この区分を示すために、上位の女性の職業の積み上げ棒グラフを作成しました（図7.2）。これは先に使用したリストと同じではないことがお分かりでしょう。すべての女性における職業の上位10種類を選ぶのではなく、既婚女性と未婚女性それぞれの上位10職業を選んだのです。両方で10位以内に入っているものがあるため、職業は全部で15種類になりました。このようにした理由は、可視化の結果、両方のカテゴリーが同じように重要であることが分かったからです。

すぐに目につく顕著な特徴は、食糧雑貨商（grocer）やタバコ屋（tobacconist）といった職業はほとんどが未婚の女性で占められており、文房具屋（stationer）やコルセット製造業（staymaker）は既婚の女性で占められているということです。

さらにこの可視化が意味するものについての疑問が出てきます。ここで現れている数字は非常に小さいため、これが有意かどうかを確信するのは困難です。実際、より人数の多い職業は、より少ない職業に比べて、規則的な分布を示しているように見えます。

これは発表用の完成された可視化として使うことはできません。少なくとも筆者らはこの主題の専門家ではないからです。つまり、私たちは誰も19世紀ロンドンを専門とする歴史研究者ではありません。しかし、もしそうだったとしたら、かつ、すべての通りの情報を手入力したとしたら、こうした可視化は、私たちを新しい研究の道へと導いてくれるかもしれません。

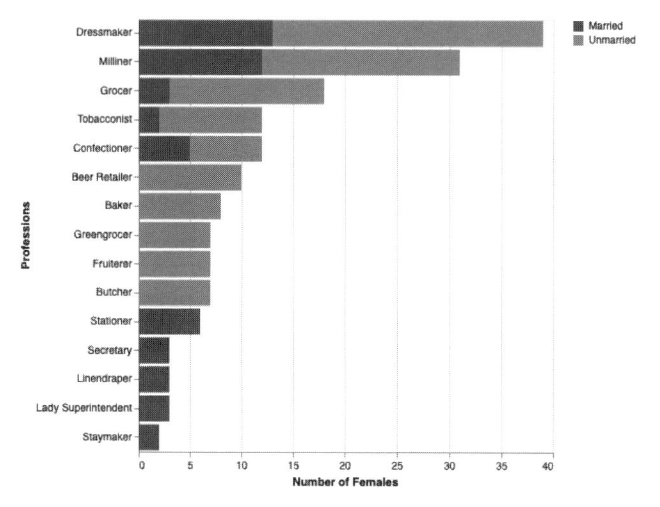

図 7.2　既婚女性・未婚女性の上位職業

積み上げ棒グラフがグレースケールであることに気づいたでしょうか。本書ではカラー画像を使うことができませんが、これは印刷出版ではよくあることです。歴史研究者にとってデータの可視化が難しい理由の一つは、その共通の出版方法、すなわち印刷による書籍と雑誌によるという点にあります。伝統的には、稀なケースを除いて、雑誌ではカラー画像を使用することはできません。積み上げ棒グラフに、2 種類だけではなく多くのカテゴリが含まれていた場合、グレースケールでは読みづらくなってしまいます。オンラインのみの出版物であれば、もちろんカラーでも問題はありません。オンラインと印刷の両方で出版されるジャーナルや論文の場合、デジタル版はカラーで印刷版は白黒になる可能性がありますが、この点は出版社に確認する必要があるでしょう。最近では、カラーが使える雑誌が増えてきているようですが、可視化を検討するにあたっては、カラーが使用できるかどうかを事前に確認してください。

カラーを使うことができる場合、第一に考えなければならないのは、色覚異常のある人でも同じように理解できるようにするということです。色覚異常には多くの種類がありますが、いくつかの注意事項を守れば、ごく稀なケースを除いてすべての人に対応することができます。[25] 可視化を、色の区別だけでしか理解できないものにしてはいけません。また、くすんだ色と鮮やかな色を組み合わせるなど、隣り合う色の強さを変えるようにしましょう。身近に色覚異常者がいればチェックしてもらうことはできますが、その人を典型と見なしてはいけません。

私たちが円グラフに対して懐疑的であることには、すでにお気づきでしょう。円グラフ作成にあたって、色の使用は別の問題を提起します。カラフルな円グラフは魅力的ですが、その色は何を意味するのでしょうか。単にスライス同士の区別のためでしょうか。もしそうなら、明るい色がより目につき、特定のスライスが過度に突出することになります。多くの錯視現象が示すように、私たちの脳は、すべてを一度に把握するのではなく、相対的な色や形を構築します。[26] 色を可視化に含める際には、このことに留意する必要があります。

自然に連想される色を使うのは賢明な方法です。たとえば、金・銀の輸出に関するチャートでは、直感的に分かるよう金色と銀色を使うことができるでしょう。避けなければならないのは、ジェンダー、民族、セクシュアリティ、宗教などにステレオタイプに関連づけられている色を使うことです。十分に注意すれば、対象物のイメージをプロットに使用することが可能です。タフティは、さまざまな動物の大きさを比較する散布図において、プロットされた各点をそれぞれの動物を示すイラストで表現していますが、これはとても優れた例と言えます。[27]

地図

地図というものはつねに、軍隊にとって攻撃と防御の両面における主要な関心事でした。イギリス初の網羅的な地図は英国陸地測量部（Ordnance Survey）によって 19 世紀に作成されましたが、その名が示すように、これは軍事プロジェクトの一つでした。現在では、ほとんどの携帯電話に搭載されている全地球測位システム（Global Position System, GPS）が米軍によって運用と経費負担されていますが、現代の地図は 19 世紀の英国陸地測量部のものと正確に一致するわけではありませんし、より古い地図となれば精度はずっとバラバラでしょう。

GPSは人工衛星を使って地表上の位置を三角測量します。そのため、高さの測定よりも方位で位置を検出することに向いています（たとえば同じビルの異なる2つの階は同じ座標になってしまうかもしれません)。GPSは、初期の英国陸地測量部の地図にはなかった補助技術の一例にすぎません。歴史的な地図と現代の衛星地図が一致しない理由は他にもあります。地球の表面は3次元ですが、地図は通常、2次元です。一方を他方に変換することは「測地学(geodesy)」として知られていますが、その方法はさまざまです。メルカトル図法やガル・ピーターズ図法など、地球をどのように投影するかによって、2次元の世界が大きく異なって見える（基本的には、どの方法も何らかの妥協の産物です)ことはよく知られているでしょうが、同じことがもっと小さなスケールでも当てはまるのです。

地図を扱うことは、歴史研究者にとってはおなじみの作業です。そのための無料のツールもいろいろと用意されていますが、概して、地図のソースが古ければ古いほど、デジタル版の地図を利用できるようにするためにそれらのツールを使った作業が増えることになります。たとえば、先に見たように、パン屋〔baker〕は郵便住所録のデータの中で、とてもありふれた職業として記述されていました。19世紀のロンドンの地図を使えば、住所録に掲載されているすべてのパン屋をプロットし、パン屋が都市全体に散らばっているであろうという仮説（パンはすぐに傷んでしまう商品なので、人々は近所で買おうとするため）を検証することができます。ここで、仕立て屋（tailor)（リストの5番目）と比較することも可能です。彼らの商品は特に腐るものではないため、逆に「集積（agglomeration)」[28]と呼ばれる一箇所への集中現象を示す可能性が予想されます。実際、ロンドンには、Savile RowとJermyn Streetという、今でも仕立て屋で有名な2つの通りがありますが（もちろんロンドンの仕立て屋は他にもあります)、私たちが知る限り、パン屋の通りはありません。ちなみに、シティ〔ロンドンの中心地区〕にあるBread Streetは、集積の結果ではなく中世の布告に由来します。[29)]

これらすべてを描出するために主に必要なものは、Adobe Illustrator または Inkscape、適切な地図のスキャン、そして多少の忍耐力だけです。しかし、地図に手作業で特徴情報を加えるのではなく、自動的に追加したい場合は、何らかの地理情報システム（Geographic Information System, GIS）のインターフェースを備えた現代の地図を使う必要があるでしょう。GIS によって、地理データを管理することができます。特徴情報の表示位置に多少の差異が生じても、あまり問題にはならない場合があります。たとえば、17 世紀のウェールズ地方のペスト発生地をマッピングしたいとしましょう。この場合、ウェールズのある都市の現代の中心部と 17 世紀の中心部が 0.5 マイル離れていたとしても、地図の縮尺からすると無視できる差なので、大きな問題ではありません。

19 世紀のパン屋や仕立屋のために Google Maps や OpenStreetMap を使わない理由は、ロンドンの通りはそれ以降に名前や形状が変わっており、消えてしまったものもあれば、新たに出現したものもあるからです。総合的に考えれば、現代の地図の使いやすさと引き換えに、その点は許容可能だと判断しても良いかもしれません。これは、可視化の目的によって大きく左右されるトレードオフなのです。いずれにせよ、Google Maps は、インターフェースが使いやすいため、地図の実験を始めるのに適した方法でしょう。名前と座標を記したスプレッドシートをアップロードすれば、Google Maps がピンを追加してくれます。地図を試してみるにあたって、これは手始めとして良いアプローチです。もし、Google Maps が自分のニーズを満たさないと思ったら、もっと強力なソフトウェアに乗り換えれば良いのです。OpenStreetMap は素晴らしいプロジェクトですが、この種のマッピング作業の初心者にはお勧めできません。なぜなら、利用できるさまざまなインターフェースやツールが強力である一方、習得が難しいためです。

では、必要な座標情報についてはどのようにして手に入れれば良いでしょうか。直接現地に行って携帯電話やその他の GPS 対応機器を使う方法もあれば、座標情報を提供してくれるオンラインマップやサービス（GeoNames や

OpenStreetMap など）を利用する方法など、さまざまな解決法があります。多くの場合、簡単な解決法は他の人の成果を活用したり、ウィキペディアが提供する地理情報を見に行くことです。たとえば、〔英語版〕ウィキペディアの「Savile Row」の項目では、通りのキーホール・マークアップ・ランゲージ（KML）〔地理空間情報の記述のための XML 記法〕のファイルのダウンロードが提供されています。KML は地理座標を表現するために設計されたフォーマットで、Google Maps でも使用されています。[30)]

GIS についてはすでに触れました。これは、歴史的マッピングにおいてよく使われます。GIS とは、世界に関する一連の知識（たとえば香港やドナウ川の位置情報）と地図表示システムとをインターフェースでつなぐ何らかのシステムのことを指します。したがって、Google Maps や Google Earth も GIS の一種です。人文社会科学分野で使用されている標準的なマッピングソフトウェアは、強力かつ高価なツールである ArcGIS です。組織のライセンスでこのソフトウェアを利用できるのであれば、それを使用し、またおそらく組織内で利用できるであろう研修を受けることをお勧めします。[31)] 一方、QGIS というすぐれたフリーの競合ソフトウェアもあり、これであなたのニーズはすべて満たせるかもしれません。[32)] これらのツールでは、洗練されたマッピングや地理分析を行うことができ、また使われているさまざまな座標系同士の変換も可能です。

単一の点は、緯度や経度といった座標系によって記述することができますが、ある面積を持った領域をデジタルマッピングで定義するためには、シェープファイル（shape file）が必要です。シェープファイルとは、GIS で多角形を定義する「点」の集合です。つまり、レスター市やカンブリア州などのシェープファイルを作ることができます。残念なことに、そして歴史研究者にとっては興味深いことに、都市や州の境界は時代によって変化します。州、市、町、村は生まれては消え、また川の流れも変わります。ご想像のとおり、現代の実体を記述したシェープファイルは、中世のものに比べればはるかに入手が容易です。

ジオコーディング（geocoding）とは、あるオブジェクトと現実世界での位置情報を、地図上で結びつける作業のことです。現代のカメラ（スマートフォンを含む）で写真を撮影すると、その写真に紐づいたメタデータに、地理情報が自動的に追加されます（ただし、この機能がオフになっている場合や、デバイスが写真共有の際に位置情報メタデータを削除する設定になっている場合は別です）。画像に座標情報が付加されていれば、たとえばロンドンの Brewer Street で撮影した写真を地図上で探すことができます。それだけではありません。撮影場所ごとに画像をグループ化したり、自分が撮影した最北端の写真を検索したり、同じ場所で他の人が撮影した画像と関連づけたりといった、地理に関するありとあらゆる方法が可能になります。また、手作業によって、情報をキャプションに加えたり、あるいは地図インターフェース上で画像を特定の場所にドラッグしたりもできます。これは写真に限りません。たとえば、ロンドン北部にゆかりのあるカムデン・タウン・グループ〔第 1 次世界大戦直前期にカムデン・タウンを拠点に活動した美術家集団〕の芸術家たちの絵画やドローイングについて、それらを適切な地図上に配置する、といったことも考えられます。

ジオレクティフィケーション（georectification）とは、〔地図の〕画像に修正を加えて、GIS 内の現代の座標系に「フィットさせる」ことです。これは、古い地図に対して良く行われます（たとえば、特徴や経年変化を、より簡単に重ね合わせて現代の地図と比較できるようにするために）。言うまでもなく、地図が古ければ古いほど修正が必要になります。たとえば、われわれが取り組んでいる 19 世紀後半のロンドンの地図は（建築状況の変化は別として）現代の座標におおむね一致しているでしょうが、17 世紀のロンドンの地図となると話は別です。通常、古い地図画像は、新しい実態に合わせるために引き伸ばされたり曲げられたりしますが、そのための追加的な修正技術が存在します。ややこしそうな作業のように思われるかもしれません。事実そのとおりです。これは、ここまで議論してきたマッピング手法の中ではもっとも難しいので、実際にやってみる前に、経験豊富な実践家にアドバイスを求めた方が良いかもしれません。

このような難しさの存在は、シンプルなマッピング方法を妨げるものではなく、私たちが郵便住所録の作業で採用するのも、そうしたシンプルなアプローチです。画像をトレースしたり、既存の地図を改良したりすることで、通りや交差する通りをマッピングすることができます（これは著作権侵害にはあたらないと考えますが、この点はつねにご自身で確認するようにしてください）。ともあれ、繰り返しになりますが、現代の地図が1878年と同じ街路の構成であるとは限らないことに注意しましょう。

地図のトレースというと、まるで1950年代の地理の授業のように聞こえるかもしれませんが、すぐれたデジタルヒストリープロジェクトの中には、まさにこの方法を用いているものがあります。たとえば、MAGIS Bruggeプロジェクトの研究者たちは、16世紀のブリュージュの地図の描き直しを行っています。[33] 彼らは、〔16世紀の〕地図製作者のマルクス・ヘーラールツ（Marcus Gerards）がオリジナルの地図を作成するのに要したよりも多くの時間を、すでに地図のトレースと改良に費やしたと見積もっています。私たちが採った手順は、大雑把に言うと次のようなものです。

私たちは、ある研究者から1897年の地図のデジタルコピーを入手しましたが、彼はすでにかなりの処理とクリーニングを施していました。この地図は私たちの研究対象とする年代〔郵便住所録の発行された1878年〕に十分に近い時期のものなので、使えると判断しました。

まず、全体として何を実現したいのかを議論した結果、郵便配達員の順路に沿った個々の建物を地図画像に貼り付け、さらにデータのいくつかの側面について、地図が煩雑にならない程度にアノテーション〔注記の付加〕を行うことにしました。Beaufort Streetという特定の通りをどのように可視化するかについてブレインストーミングを行った後、地図上に建物を描き、性別や業種に応じて建物を着色する方法について、いくつかのアイディアを得ました。グレースケールで印刷できることを可視化の条件の一つとしていたので、グラフィックデザインのすべての手順において、カラーとグレースケールの両方で理解できるようにする必要がありました。

次に、さまざまなデジタルファイル（グラフィックデザイン用語でいう「アセット」）を集め、一つのディレクトリに格納することから始めました。これには、地図画像、郵便住所録のページスキャン、そしてXMLデータが含まれます。

今回使用したグラフィックデザインアプリケーションは、Affinity Designerという最近のものです。これを使うことにした理由は、手頃な価格であり、クラウドベースのサブスクリプションではなく、さらに「ラスタ（raster）」と「ベクタ（vector）」の両方の画像編集機能が1つのアプリケーションに統合されているためです。ラスタ画像はピクセルをベースにしており、デジタル写真のように特定の解像度を持っています（したがってラスタ画像は拡大されると、ある時点からピクセル化されます）。対してベクタ画像は数式から生成されます（プログラムが数式を再計算するので、拡大し続けてもピクセル化されることはありません）。

また、私たちはこの新しいアプリケーションの機能の使い方を習得したかったので、新しいAffinity Designerドキュメントを作成し、デジタルアセットをそのドキュメント内のレイヤーに配置しました。各交差点を切り抜き、地図の上に配置していくうちに、地図の方向を調整する必要があることに気づきました。正しい北向きコンパスを使用するために、Apple Mapsアプリケーションで Beaufort Streetを見つけ、コンパスのスクリーンショットを撮り、その画像を古い地図にインポートし、すべてのアセットを回転させました。こうして、最初のバージョンができあがりました（図7.3）。

次に、各街区に沿って建物のアウトラインを描き、郵便住所録のテキストから各物件の番地を切り抜き、重ね合わせ、大きさを調整し、それによって各建物のサイズ感が把握できるようにしました（図7.4）。これがすなわち建物やテラスの壁を表わしています。はじめは目立たせるために赤い線を使っていましたが、後で黒に変換しました。背景の地図には周辺にある通りが多く含まれていたので、Beaufort Streetに視線が集中するように、これらの通りは外側を

Beaufort st. *Chelsea*.(S.W.)
MAP G 13.

WEST SIDE.
1 Long Miss
3 Ellis Misses, ladies' school
7 Bell Geo. Graham, land surveyor
9 Winsland Mrs
11 Palmer Miss
13 Thompson Miss
15 Smith Mrs
17 Innous Thomas Pippet
19 Peeck Mrs
21 Saunders Mrs
25 Delarue Theodore
27 Royle Joseph
31 Robert Charles Pierre
33 Dike Mrs
37 Marlow Mrs
39 Wilson Thos. Harrington, artist
41 Reid Andrew, artist
43 Hughes Mrs
45 Collins William
47 Little William, travelling draper
49 King Alfred
51 Goldie Bruce
53 Sweeney Hugh Willoughby
Wright Mrs. Catherine, lace cleanr
63 Williams Charles, cowkeeper
.... *here is King's road* ....
67 Spaull George, marine store dealr
69 Taylor William, fishmonger
71, 73 & 75 Somes Major, unredeemed pledge stores
77 Palmer John, grocer
79 Chandler George, dairyman
81 Green Thomas, butcher
83 Brooks John, bootmaker
Holmes George, greengrocer
85 Shunn William, grocer
. *here is Little Camera street.*
87 *Britannia*, Mrs. Elizabeth Bridge
89 Bowen John, confectioner
91 Fewell Walter, fruiterer
93 Coventry Andrew, baker
93A, Goss Mrs. Caroline Eleanor, grcr
...*here is Camera square*....
95 Robson John, lodging house
101 Richards Miss
......*here is Park road*......
107 Thackeray Martin
109 Blakeman William
111 Matthews Mrs
113 Inall Thomas Edwards
115 Ellis Joseph
117 Woodward Henry
119 Underhill George William
121 Pinnell Miss
123 Oakes Alfred
125 Robinson Mrs
127 Storer & Co. carpenters
....*here is Fulham road*.....

EAST SIDE.
2 Randall John & Co. coal merchts
2A, Haynes Edwin, coffee house
4 *Beaufort*, John James Marsden
6 Hobbs Thomas
10 Morgan Thomas Vaughan
14 Lacon George Ovitts
16 Crisp Edwards, M.D. physician
18 Lanteri Edward
20 Hubert Adolphe, metal chaser
22 Roberts Mrs
28 Cowley William
30 Seton John William
32 Scott John Thomas
34 Roberts Robert William
36 Ruddell Henry John
38 Cave Mrs
40 Gay Mrs
.....*here is King's road*.....
58 Mankelow Thomas, carrier
62 Issitt Alfred, china riveter
64 Hoare Thomas, carpenter
70 Powell John, bootmaker
. *here is Pillar Letter Box*.
..*here are Camera square & Elm Park road*......
72 Radermacher George
74 Croker Thomas William
76 Hunt Mrs
Loveland Mrs
78 Culley Frederick
80 Ryan William, lodging house
82 Dean Mrs. Jane, lodging house
84 Edwards Mrs
86 Hervey Major William
88 Lubbock James
90 Glaister James
92 Guermonprez John Henri
94 Molyneux Miss
96 Kitchen Rev. Henry John, M.A
98 Smeed Mrs
100 Tagg Mrs. Fanny, lodging house
102 Elmsley Mrs
104 Murdstone Charles William
106 Gray Mrs. Clara, lodging house
108 Goringe George Henry, builder
....*here is Fulham road*.....

図 7.3　可視化のタスクを把握するための最初の試み

Beaufort st. *Chelsea*.**(S.W.)**
MAP G 13.

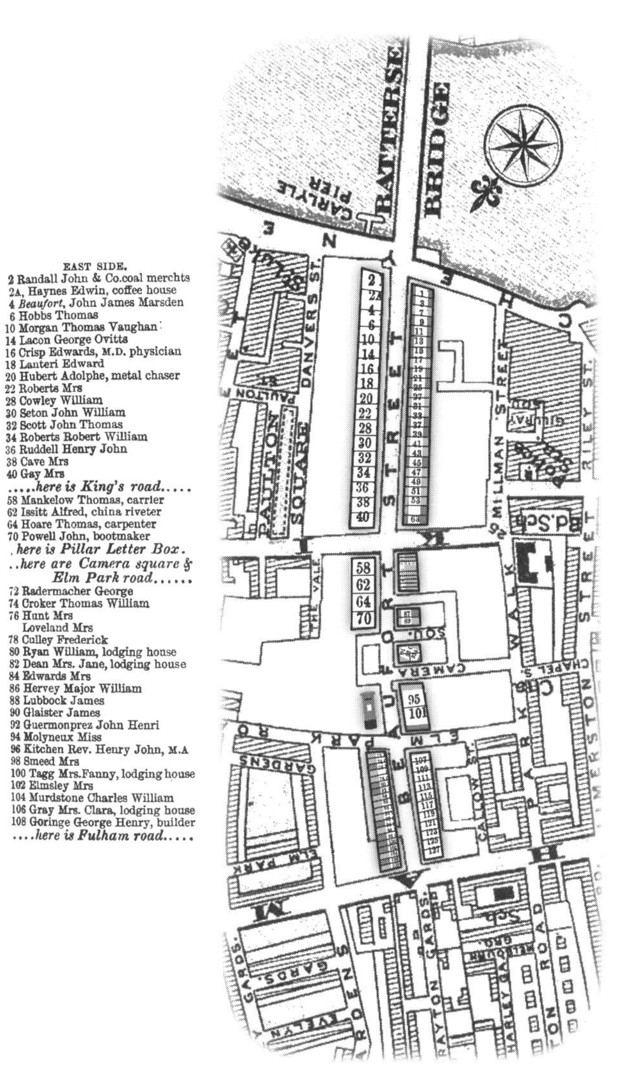

EAST SIDE.

2 Randall John & Co.coal merchts
2A, Haynes Edwin, coffee house
4 *Beaufort*, John James Marsden
6 Hobbs Thomas
10 Morgan Thomas Vaughan
14 Lacon George Ovitts
16 Crisp Edwards, M.D. physician
18 Lanteri Edward
20 Hubert Adolphe, metal chaser
22 Roberts Mrs
28 Cowley William
30 Seton John William
32 Scott John Thomas
34 Roberts Robert William
36 Ruddell Henry John
38 Cave Mrs
40 Gay Mrs
.....*here is King's road*.....
58 Mankelow Thomas, carrier
62 Issitt Alfred, china riveter
64 Hoare Thomas, carpenter
70 Powell John, bootmaker
here is Pillar Letter Box.
..*here are Camera square & Elm Park road*......
72 Radermacher George
74 Croker Thomas William
76 Hunt Mrs
Loveland Mrs
78 Culley Frederick
80 Ryan William, lodging house
82 Dean Mrs. Jane, lodging house
84 Edwards Mrs
86 Hervey Major William
88 Lubbock James
90 Glaister James
92 Guermonprez John Henri
94 Molyneux Miss
96 Kitchen Rev. Henry John, M.A
98 Smeed Mrs
100 Tagg Mrs.Fanny, lodging house
102 Elmsley Mrs
104 Murdstone Charles William
106 Gray Mrs. Clara, lodging house
108 Goringe George Henry, builder
....*here is Fulham road*.....

WEST SIDE.

1 Long Miss
3 Ellis Misses, ladies' school
7 Bell Geo. Graham, land surveyor
9 Winsland Mrs
11 Palmer Miss
13 Thompson Miss
15 Smith Mrs
17 Innous Thomas Pippet
19 Peeck Mrs
21 Saunders Mrs
25 Delarue Theodore
27 Royle Joseph
31 Robert Charles Pierre
33 Dike Mrs
37 Marlow Mrs
39 Wilson Thos. Harrington, artist
41 Reid Andrew, artist
43 Hughes Mrs
45 Collins William
47 Little William, travelling draper
49 King Alfred
51 Goldie Bruce
53 Sweeney Hugh Willoughby
WrightMrs.Catherine,lace cleanr
63 Williams Charles, cowkeeper
.... *here is King's road* ....
67 Spaull George, marine store dealr
69 Taylor William, fishmonger
71, 73 & 75 Somes Major, unredeemed pledge stores
77 Palmer John, grocer
79 Chandler George, dairyman
81 Green Thomas, butcher
83 Brooks John, bootmaker
Holmes George, greengrocer
85 Shunn William, grocer
. *here is Little Camera street*.
87 *Britannia*, Mrs. Elizabeth Bridge
89 Bowen John, confectioner
91 Fewell Walter, fruiterer
93 Coventry Andrew, baker
93A, Goss Mrs.CarolineEleanor,grcr
....*here is Camera square*....
95 Robson John, lodging house
101 Richards Miss
......*here is Park road*......
107 Thackeray Martin
109 Blakeman William
111 Matthews Mrs
113 Inall Thomas Edwards
115 Ellis Joseph
117 Woodward Henry
119 Underhill George William
121 Pinnell Miss
123 Oakes Alfred
125 Robinson Mrs
127 Storer & Co. carpenters
....*here is Fulham road*.....

図 7.4　目印となる建物を地図上に配置する

切り落として、端に向かってぼかすようにしました。

これで建物を表わす図が縮尺どおりに作成されたので、どのように特徴づけを行うか、またそれぞれの建物に対してどのようなカラーコードを適用するのが良いかを判断しました。性別で色分けすることにし、男性にはピンク、女性には青を使うことを決めました。

建物のベクタ形状を2番目のレイヤーに複製してラスタ化（ピクセル化）し、各ブロックを居住者の肩書・敬称に応じて適切な色で塗りつぶせるようにしました（肩書・敬称がリストに記載されていない場合は、当該テキストが女性の場合はその旨を明記し、男性については特記されていないことを踏まえた上で、人名から判断しました）。1つだけ、男性と女性の両方が記載されている住所がありましたが、これについては単純に両方の色をそのスペース内に塗りました。色の塗りつぶしが終わった後は、これらが地図の「最前面」にあることを強調するためにドロップシャドウを加え、さらにグレースケールに変換して、青とピンクの彩度が互いに識別できる程度にはっきりしているかどうかの確認と調整を納得のいくまで行いました。

Affinity Designerドキュメント内のレイヤー配置やアセットのグループ化は、カラーによる可視化とグレースケールによる可視化を簡単に切り替えられるようにするために行いました。この点について、このアプリケーションの「レイヤー」の仕組みはきわめて有用です。いくつかのレイヤーを表示・非表示にしても、共通レイヤーとそれらの共通オブジェクトの位置を維持することができるのです。

その後、色分けされた建物と郵便住所録のデジタルテキストを結びつけているアウトラインとの視覚的なつながりをデザインしながら、職業に関する追加情報を盛り込む作業を続けました。これは、可視化において可能なかぎり多くの情報を維持し、あらゆるものを視覚的に結びつけるようにするための作業でした。さらに、Beaufort Streetに焦点を当てるために、背景の地図のぼかしやトリミングなどの調整を行いました。これで、どの建物グループにどのような職業の人がいるのかが分かるようになりました。

次に可視化に加えるべき情報は、XML データでした。私たちはすでに本からスキャンされたテキストを追加し、さらに建物を描いていた（かつ、その空間的な密度感を理解していた）ため、各 <addr> を転記することは冗長で、視覚的なノイズが多すぎることになると思われました。しかし、住所録に記載のあるストリートマーカー〔交差する通りの名前と位置を示した情報〕については盛り込んでいなかったので、これらの XML 要素を「デジタル背景構造」のようなものとして、可視化の中に組み込むことは自然で効果的だと思われました。そこで、視覚的に連結させた吹き出しの間に XML スニペットのテキストボックスを置き、かつヘッダーについても〔右上部に〕転記しました。それによって、（ストリートマーカーだけでなく）すべてのテキストが転記されていることを強調したのです。ページスキャンの活字と対比させるために、古いタイプライターのような美しさを持つ Courier の等幅フォントをあえて使用しました。この時点で、可視化の結果を同僚に見せて議論し、フィードバックを集めました。

その後、建物の不具合を修正し、ドキュメントのレイヤーを整理し、吹き出しを視覚的につなぎ、テキストの位置を合わせるなどして、最終版であるバージョン 6 ができあがりました。印刷物のページサイズに合わせてさらにレイアウトを緊密にし、左上の余白に凡例を追加しました（図 7.5）。人の視線はタイトルを読んだ後で下に向かい、自然と凡例を目にすることになるので、これは実用的で良い配置だと思われました。見る人はこれによって、大通り沿いの建物の形や色を理解するための「予備知識」を得られるでしょう。

ここに掲載されている印刷版はグレースケールですが、カラー版の可視化の結果は本書の GitHub リポジトリで入手できます。印刷版と見比べると、印刷用の可視化を準備するために必要だった妥協点が分かるでしょう。本章の冒頭では、可視化には熟考が必要だと述べました。紹介した方法が気に入らなかったとしても、可視化作業にあたって多くの時間を細部の検討に費やしたことはおわかりいただけると思います。

Beaufort st. *Chelsea*.(S.W.)
MAP G 13.

<street>
<head>Beaufort st.</head>
<head2><i>Chelsea</i>.(<b>S.W.</b>)</head2>
<map>MAP G 13.</map>

Male
Female

<side>WEST SIDE.</side>

1 Long Miss
3 Ellis Misses, ladies' school
7 Bell Geo. Graham, land surveyor
9 Winsland Mrs
11 Palmer Miss
13 Thompson Miss
15 Smith Mrs
17 Innous Thomas Pippet
19 Peeck Mrs
21 Saunders Mrs
25 Delarue Theodore
27 Royle Joseph
31 Robert Charles Pierre
33 Dike Mrs
37 Marlow Mrs
39 Wilson Thos. Harrington, artist
41 Reid Andrew, artist
43 Hughes Mrs
45 Collins William
47 Little William, travelling draper
49 King Alfred
51 Goldie Bruce
53 Sweeney Hugh Willoughby
Wright Mrs. Catherine, lace cleanr
63 Williams Charles, cowkeeper

<xst>here is King's road</xst>

67 Spaull George, marine store dealr
69 Taylor William, fishmonger
71, 73 & 75 Somes Major, unredeemed pledge stores
77 Palmer John, grocer
79 Chandler George, dairyman
81 Green Thomas, butcher
83 Brooks John, bootmaker
Holmes George, greengrocer
85 Shunn William, grocer

<xst>here is Little Camera street</xst>
<page start="173"/>

87 *Britannia*, Mrs. Elizabeth Bridge
89 Bowen John, confectioner
91 Fewell Walter, fruiterer
93 Coventry Andrew, baker
93A, Goss Mrs. Caroline Eleanor, grcr

<xst>here is Camera square</xst>

95 Robson John, lodging house
101 Richards Miss

<xst>here is Park road</xst>

107 Thackeray Martin
109 Blakeman William
111 Matthews Mrs
113 Inall Thomas Edwards
115 Ellis Joseph
117 Woodward Henry
119 Underhill George William
121 Pinnell Miss
123 Oakes Alfred
125 Robinson Mrs
127 Storer & Co. carpenters

<xst>here is Fulham road</xst>

<side>EAST SIDE.</side>

2 Randall John & Co. coal merchts
2A, Haynes Edwin, coffee house
4 *Beaufort*, John James Marsden
6 Hobbs Thomas
10 Morgan Thomas Vaughan
14 Lacon George Ovitts
16 Crisp Edwards, M.D. physician
18 Lanteri Edward
20 Hubert Adolphe, metal chaser
22 Roberts Mrs
28 Cowley William
30 Seton John William
32 Scott John Thomas
34 Roberts Robert William
36 Ruddell Henry John
38 Cave Mrs
40 Gay Mrs

<xst>here is King's road</xst>

58 Mankelow Thomas, carrier
62 Issitt Alfred, china riveter
64 Hoare Thomas, carpenter
70 Powell John, bootmaker

<xst>here is Pillar Letter Box.</xst>
<xst>here are Camera square & Elm Park road</xst>

72 Radermacher George
74 Croker Thomas William
76 Hunt Mrs
Loveland Mrs
78 Culley Frederick
80 Ryan William, lodging house
82 Dean Mrs. Jane, lodging house
84 Edwards Mrs
86 Hervey Major William
88 Lubbock James
90 Glaister James
92 Guermonprez John Henri
94 Molyneux Miss
96 Kitchen Rev. Henry John, M.A
98 Smeed Mrs
100 Tagg Mrs. Fanny, lodging house
102 Elmsley Mrs
104 Murdstone Charles William
106 Gray Mrs. Clara, lodging house
108 Goringe George Henry, builder

<xst>here is Fulham road</xst>
</street>

BATTERSEA BRIDGE
CARLYLE PIER
BEAUFORT STREET
CAMERA SQU.
ELM

図 7.5　完成した可視化（グレースケール）

＊＊＊

本書では、ソフトウェアについてはできる限り言及しないようにしました。そのため、本章の執筆は他の章よりも困難でしたが、データの可視化に挑戦するための基礎知識を提供できたことを願っています。まずは、可視化したいデータを本書のリポジトリやご自身の研究から抽出することに慣れると良いでしょう。その後、もっとも効果的に可視化できそうな方法やソフトウェアを選ぶことをお勧めします。

1 Tufte, *Envisioning Information*, p.50

2 Tufte, *Envisioning Information*, p.50.

3 Scott, *Seeing Like a State*, p.3.

4 Drucker, 'Humanities approaches to graphical display'.

5 D'Ignazio and Klein, *Data Feminism*, p.77;「本能化（visceralisation）」については , pp.84-91.

6 gnuplot, http://www.gnuplot.info/ (accessed 11 July 2020). Gnuplot の非常にわかりやすい入門書としては、Janert, *Gnuplot in Action* があります。また、コピーや変更が可能な例題を含むオンラインリソースも他に多く存在します。

7 Yau, *Visualize This*.

8 Yau, *Visualize This*, p.93.

9 児童に対する駆虫薬の効果をめぐる統計学者同士の大きな意見の対立は、エビデンスの解釈がいかに困難になりうるかを示す古典的な例です。Evans, 'Worm wars' を参照のこと。

10 Spiegelhalter, *The Art of Statistics*, p.12.

11 Spiegelhalter, *The Art of Statistics*, p.6.

12 スピーゲルハルターの *The Art of Statistics* では、統計学とその落とし穴が、非常にわかりやすく一般的な形で説明されています。歴史学者にとっては、Hudson and

Ishizu, *History by Numbers* が広く読まれ、高く評価されています。

13 Liberman, 'Excel invents genes' で引用されている、Ziemann et al., 'Gene name errors are widespread in the scientific literature' を参照。Excel の問題やデータ型をめぐる一般的な問題については、Parker, *Humble Pi,* pp.255-241 および 184-181（この本はページ付けが逆になっています）が興味深い例をいくつか紹介しています。

14 Parker, *Humble Pi*, p.245.

15 終了タグである </addr> は、簡単な検索・置換で削除することができます。行頭のスペースを削除するには、「**^**」で行頭にアンカーし、スペース、そして「**+**」で「1つ以上」を表す必要があります。つまり、「**^ +**」を検索し、空値に置換します。続く「スペース・コンマ・スペース」の連続はタブにする必要があるので、「 **,** 」（印刷では分かりにくいですが、これは「スペース・コンマ・スペース」です！）を、「**\t**」〔すなわちタブ〕に検索・置換します。

16 Atkins, *The Directories of London*: 1677-1977, p.81.

17 スピーゲルハルターは、軸をゼロから始めないことが適切である場合の例を挙げています。それは、すべてが非常に高いパーセンテージを示していて、比較したくても値の違いが不明瞭な場合です。

18 Tufte, *Envisioning Information*, p.59.

19 Hudson and Ishizu, *History by Numbers*, p.74.

20 Yau は、いくつかの条件下では円グラフを擁護し、うまくいっている例も挙げていますが（*Visualize This*, p.141 参照）、同書の p.138 で挙げている表よりも有益だという主張には納得できません。

21 Edgerton, *The Shock of the Old*, p.33.

22 Tufte, *Beautiful Evidence*, pp.46-62 には、いくつかの素晴らしい例があります。

23 Sex Disqualification (Removal) Act 1919, https://www.legislation.gov.uk/ukpga/Geo5/9-10/71/section/1 (accessed 11 July 2020).

24 Vega and Vega-Lite, https://vega.github.io/ (accessed 11 July 2020).

25 We Are Colorblind, https://wearecolorblind.com/, (accessed 11 July 2020) には、

色覚障害をシミュレートするリソースへのリンクを含む議論や例が掲載されているので、自分の画像をテストすることができます。

26 Chater, *The Mind Is Flat*.

27 Tufte, *Beautiful Evidence*, p.121.

28 'Economies of agglomeration', Wikipedia, https://en.wikipedia.org/wiki/Economies_of_agglomeration (accessed 11 July 2020).

29 'Bread Street', Wikipedia、https://en.wikipedia.org/wiki/Bread_Street (accessed 11 July 2020).

30 'Savile Row', Wikipedia, https://en.wikipedia.org/wiki/Savile_Row。KML の便利なクイックガイドは、'Help:Attached KML', Wikipedia, https://en.wikipedia.org/wiki/Help:Attached_KML（いずれも 2020 年 7 月 11 日アクセス）。

31 ArcGIS, https://www.esri.com/en-us/arcgis/about-arcgis/overview (accessed 11 July 2020).

32 QGIS, https://www.qgis.org/en/site/ (accessed 11 July 2020).

33 MAGIS Brugge Kennisplatform (Dutch), www.magisbrugge.be/geocms/web/view/home (accessed 11 July 2020).

第8章

デジタルヒストリーのこれから

「はじめに」で述べたように、未来の予測ほど早く陳腐化するものはありません。そのため、ここでは新しいツールや技術、方法ではなく、全体的な方向性を見極めることに重点を置いています。一般的に、デジタルヒストリーの未来は、革命や破壊ではなく、漸進的な進化と定着だと考えています。より多くのデジタル一次史料にアクセスできるようになれば、デジタルな方法論はより広く採用されるようになるでしょうし、確立したデジタルツールは多くの研究者にとってより使いやすいものとなるでしょう。このようなことはあまりエキサイティングなこととは思われないかもしれませんが、歴史学の実践において根本的な変化をもたらすことになるでしょう。

ボーンデジタル一次史料

確信を持って予測できるのは、歴史研究者がボーンデジタルな一次史料にますます関心を持つようになるということです。2040年にはInternet Archiveは40年以上にわたってウェブアーカイブを続けるようになり、20世紀後半から21世紀前半の歴史を研究するのに、ウェブやソーシャルメディアの分析を抜きにしては考えられなくなるでしょう。図書館や文書館はまだ「デジタルの大洪水」に対処する必要はありませんが、それに備えた重要な仕事に着手しています。

英国では、国立公文書館（TNA）が、2021年までに50の政府機関がボーンデジタル記録資料を日常的に移管するようになると予想しています。この大きな変化に備えるために、TNAは2013年9月に「デジタル移管プロジェクト」

(Digital Transfer Project)を立ち上げました。これは、「長期的な価値を持つボーンデジタル記録資料を移管、受入、公開するための柔軟性のあるプロセスを開発すること、機密保持期間中は安全に保管し、機密解除後には一般の人々がアクセスできるようにすること」を目的としているものです。[1] 比較的小規模な図書館や文書館では、このような規模の計画を立てることはできませんが、そのような機関であっても、ボーンデジタル資料を受け入れ、目録を作成し、利用できるようにしていくでしょう。

歴史研究者の仕事の方法が一夜にして変わることはないでしょうが、ますます多くの歴史研究者が、アナログ、デジタル、そしてボーンデジタルの間を行き来する、いわゆるハイブリッドアーカイブズを研究し、その行き来のためのスキルを身につけていくことになるでしょう。これを促進するために、記憶機関はコレクションをどのように利用可能にするかを改めて考える必要があります。物理的な図書館や文書館では、写本はこの部屋、貴重書はその部屋、デジタルコレクションはあの部屋というように、メディアの形式によって一次史料が分けられていることが多いものです。このような区分は、オンラインカタログや検索手段にも引き継がれることがあります。研究者はますます、個人が送った物理的な手紙や、本の原稿へのその人の書き込み、そしてその人の電子メールやソーシャルメディアを読みたいと思うようになるでしょう。それを一か所で見ることができるようになりたいと考えるはずです。

また、デジタルなものそれ自体の歴史は、デジタルヒストリーの中でも特に重要な分野になると思われます。これは、ボーンデジタル史料がより入手しやすくなっているという事態からもたらされるものですが、デジタル技術における物質文化を考えることになるでしょう。また、電子メール、インターネット、ウェブ、ソーシャルメディアの政治的、社会的、文化的、経済的な影響にも関心が寄せられることになるでしょう。この研究は、歴史学だけでなく、科学技術研究、メディア・コミュニケーション研究、人類学、民族学を取り入れた、非常に学際的なものになります。このような状況では、歴史研究者はデジタル研究スキルを向上させ、必要に応じて効果的な分野横断的あるいは学際的な研究手法を開発する必要があります。

透明性とオープン性

本書では、オープンデータの価値や研究成果をオープンに共有して議論することの重要性について多く取り上げてきました。特にヨーロッパではオープンサイエンスが議論の中心となっており、オープン性は非常に重要な課題となっています。その結果、歴史研究のための多くの二次資料がすでにオープン出版されており、大学のデジタル化プロジェクトのほとんどが、研究助成の条件としてデータをオープンにしなければならない状況になっています。大英図書館が100万点の画像を著作権の制限なしに公開したり、2016年にはアムステルダム国立博物館が美術品デジタル化コレクションのオープン化を決定したりするなど、記憶機関はこのオープン化という事態をしばしばリードしてきました。[2] この2つの取り組みの真価は、ただ画像がオンラインで公開されたという事実だけではなく、どちらのケースでも許諾を得ることなくダウンロード、再利用、改変が可能なライセンスのもとで公開されたということにあります。

許諾不要なライセンスがデジタル研究の要なのは間違いありません。今後数年のうちに、個人、グループ、機関が思い切ったオープン化を受け入れ、オープンに研究し、その知的財産を共有し、知識と専門性をシェアするようになると信じ、また期待もしています。[3] このことは、歴史研究者にとってうまくいかなかったことも含めて自らの実践をオープンにし、当然のこととしてデータを共有することを意味します。デジタル研究を行う機会は依然としてデジタルで利用可能なデータによって制限されてしまいますが、データの再利用を制限することで［研究が］制限されてしまうような事態は減ることになるでしょう。第2章では、『ハンサード』が公開されているという理由だけで、それを利用した多くの研究プロジェクトが生まれていることについて論じましたが、これは将来的にはもっと多くのデジタル化一次史料にも同様に当てはまることでしょう。

ボーンデジタル一次史料については、その多くが著作権やその他のアクセス制限の対象となっているため、状況はあまり明確ではありません。これまで述べてきたオープン化の推進は、ほぼ間違いなくこれらのデジタルアーカイブへのアクセスにも影響を与え始めることでしょう。しかしながら、他にも考慮すべき要因があり、歴史研究者が分析したいと思うような現代のデータの多くは、図書館や文書館ではなく、そのデータを管理下に置くことでビジネス上の利益を得る民間企業が保有しているということです。このことがもたらす歪んだ結果は、ソーシャルメディア研究の分野ですでに表面化しており、データが少なくとも部分的にアクセス可能であるという理由から、Twitterを使った研究が主流となっていることに表れています。これと同じことがデジタル化資料でも起こりえます――私たちは見つけることができるものを研究するのですから――が、ボーンデジタルデータに関して言えば、ビジネス上の要請がより大きいため、ごく少数の企業によって所有権が握られているのです。

デジタル保存の専門家は、デジタル史料が現在も将来も歴史研究者にアクセス可能であることを保証するために懸命に努力を続けていますが、ファイルフォーマットのマイグレーションはできても、大企業に直ちに影響を与えることはできていません。誰にも公共の利益のためにアーカイブする権利も責任もないがために、そのような重要な一次史料にアクセスできなくなるかもしれないのです。ヴィクター・マイヤー＝シェーンベルガー（Viktor Mayer-Schönberger）が指摘するように、「大規模なオンラインプラットフォームはデジタル記憶に関するグローバルリポジトリとなってしまっている」[4)]のですが、それはそのオンラインプラットフォームの目的ではありません。私たちは、図書館や文書館が、これまでクローズドにされてきたデータを部分的にも収集する権限を与えられ、徐々にアクセスが改善されていくものと予想していますが、歴史研究者にはオープンなデジタルアーカイブの重要性に対して賛成の声を上げることが求められることになるかもしれません。

倫理的研究、プライバシー、包括性

企業活動によってあらゆる種類のデジタル一次史料へのアクセスが妨げられ

ることがありえます。しかし、個人がどのように記憶されるかを決定する権利については、もし本当に記憶されたいのであればですが、その議論が高まっています。特に検索エンジンのようなデジタルな手法とツールは、「過去には忘れ去られていた可能性の高い情報や、非常に優れた調査スキルあるいはそのような情報を得ようとする強い動機を持った人でなければ見つけられなかったような情報を見つけることができるようになった」[5] ことにつながります。歴史研究は、まさにそのような強い動機を持った人々によって行われているものです。しかし、アナログな史料よりもデジタルな史料の方がはるかに多くのことができるということを考えると、私たちはただ自分たちの生業だけを考えるのではなく、倫理的な責任についても立ち止まって考える必要があります。

ジュリア・レイト（Julia Laite）は、研究を進めるうえでの新しい方法に関する倫理的な影響について、興味深い議論を始めています。「デジタル化された史料は今や数十億点にのぼり、検索技術や機械学習がますます洗練されてきたことで、われわれは歴史上の個人の生というものを、それもつつましく、周辺的で、無名の人でさえも、知ることができるようになってきた」。[6] 歴史研究者としてのわれわれの最初の反応は、これは素晴らしいことであり、いろいろな意味で確かにそうに違いないといったところではないでしょうか。しかし、「皆が皆研究で、それも欧米の歴史によって記憶されることを望んでいると当然のように考えるのは、…あまりに尊大な思い込みではないか」[7] と述べています。デジタルヒストリーは、研究の新たな領域を切り開き、すでに慣れ親しんだ史料にもそうでない史料にもどちらに対しても研究方法を変化させてきました。しかし、同時にデジタルヒストリーは、われわれが伝える物語とその伝え方にも検討を迫っているのです。

アーカイブズが誰によってどのように構築され、そしてそれが歴史研究者とその研究にとってどのような意味を持つのかということに、将来的に、より大きな関心が寄せられることになるでしょう。そのアーカイブズで表現されるのは誰か、またどのようになされるのか？[8] アーキビストはこのような問いに対してつねに考えを巡らせてきましたが、それが歴史研究者の関心の中心となったことはほとんどありませんでした。この種の再評価はアナログなアーカイブではすでに行われていますが、デジタルヒストリーには特に注意すべきことがあります。レイトが指摘するように、「デジタル史料の利用者は、アーカイブを構築した不平等さと権力構造というものを理解する必要があります。オリジナルな〔記録文書の〕アーカイブと、その記録文書が格納されたデジタルなアーカイブの両方のアーカイブについてです。われわれは、デジタル化自体が持つ権力構造というものを理解する必要があります。過去からのデータと今日という現在が過去になったときのデータにとって、これがどのような意味を持つのかということです」。[9] 私たちは、これまで無視されてきた、あるいは周縁化された個人、グループ、そしてコミュニティについて調べ、そして書く機会があるでしょう。これはつまりは「忘れられた」人々について「思い出す」ということです。しかし、「今日という現在」においてデータを生み出しているすべての人々が、研究される歴史としての過去の一部になることを必ずしも望んでいるわけではないということについては、これまで以上に認識せねばならないでしょう。

私たちは、人々がデジタルプライバシーの権利をより意識するようになり、「忘れられる権利」についての議論が特定の地理的境界線内で検索エンジンから情報を削除するということを超えて展開され、そして、ますます充実化するデジタル環境での研究がもたらす倫理的課題に歴史研究者は取り組まなければならなくなると予見しています。デジタルな手法が新しい情報を明らかにするつながりを特定するのに役立つ一方で、「私たちがますます多くのデータを保存するようになると、そのすべてを理解する能力は、集約、可視化、そして理論といった忘却の技術にますます依存するようになるだろう」というニコス・アスキタス（Nikos Askitas）の提起に興味をそそられます。[10] データから意味を引き出すとき、私たちは、発見していることと同じくらい多くのことを覆い隠してしまっているのかもしれません。これは歴史研究者がきちんと理解すべき重要なバランスであり、研究者それぞれが自分の考えを確立することを期待できるようなものではありません。今後数年にわたって多くの興味深い議論が展開されていくことでしょう。

テキストを超えて、検索を超えて

本書で論じた方法のほとんどが、静止画や動画、音声、その他のデジタルメディアではなく、テキストを扱うためのものであるということはすでに述べたとおりです。テキスト史料の分析はつねに歴史学の中心であり続け、今までデジタル化の取り組みは、主に書籍、写本、新聞史料を対象としてきました。もちろん、これらの資料にも図像は含まれていますが、通常は機械可読なテキストを作るということが優先されてきたのです。そのために、OCR という手法が大幅に進歩しました。手書き文字認識（HTR）のためのツール開発が注目されているのもそのためです。また、テキストへ関心を向けたことで、キーワード検索というデジタル資料の調査とデジタルアーカイブズの分析のための中心技術に過度に依存しているとの考えにいたりました。しかし、歴史研究者が利用できるデジタルデータの量が増えれば増えるほど、キーワード検索の有効性はますます失われていきます。3 万件もの検索結果が、出版年順やアーカイブへの登録順だけで並んでいるとしたら、何ができるでしょうか？　確かに検索はアーカイブやコーパスの輪郭や範囲を明らかにするのには役立ちません。アンドリュー・プレスコット（Andrew Prescott）と本書の著者の一人が指摘しているように、「大規模なデジタルコーパスの調査のためにディープラーニング技術を使うことがもたらす方法論上の重大な問題というものはまだほとんど議論されていないが、ひとつ明らかなことは、それらのツールの利用には、単純なフリーテキスト検索を超えた技術が必要になる」ということです。[11]

私たちは、デジタルデータの輪郭を捉え、分析し、そして表現する新しい方法が、歴史研究者によってますます利用されるようになると予想しています。たとえば、ネットワーク分析の人気の高まりは、人、場所、組織のつながりに対する研究関心だけではなく、これまでの伝統的な方法では見ることも、表示することもできないほど巨大で複雑なデータがあったことを示すものです。すべてを読み通すこともできず、キーワード検索ではあまりに大量の検索結果しか得られないならば、他にどのような方法で史料分析を考えれば良いのでしょうか。私たちはすでに、実際には理解していない（そしておそらくは理解できない）検索アルゴリズムに依存していますが、研究活動において人工知能への依存度が高まれば、この技術により深く取り組む必要があるはずです。歴史研究者は、扱っている史料だけでなく、使っているツールについても理解する必要があるのです。

検索の呪縛から解放されることで、歴史研究者はテキスト以外の一次史料について、現在よりもより深く検討できるようになります。画像検索とそのマッチング技術はつねに向上しており、その技術も企業の独壇場というわけではありません。イェール大学のデジタルヒューマニティーズラボ（Yale Digital Humanities Lab）が開発したPixPlotは、「何万もの画像を動的に探索することができる」もので、デジタル遺産コレクションの探索と表現に使用されています。[12)]オックスフォード大学のSeebibyteプロジェクトの主な目的は、「人間のような能力で、画像や動画コンテンツを分析、記述、検索できる次世代のコンピュータビジョンの方法を開発する基礎研究を行う」ことにあります。[13)] これらの技術が、テキスト研究用の技術と同程度にまで開発が進むにはまだ何年もかかるでしょうが、これは間違いなくデジタルヒストリーの次の大きな課題と言えるでしょう。

環境の反動？

この章を締めくくるにあたって、警告めいたことを書くことをお許しください。本書の大部分では、より多くのテキスト、より多くの画像、あらゆる「より多くのもの」をいかに扱うかということを議論してきました。デジタルヒストリーの実践は現実世界のそれであり、その進歩は、現在進行中のデジタル化プログラムへの十分な投資と、ボーンデジタルデータの保存および新しいツールやプラットフォームの開発にかかっています。しかし、私たちが関心を持たなくてはならないのは経済的な問題だけではありません。

気候変動に取り組むため、飛行機に乗る回数を減らしたり、飛行機に乗らないようにしたりといった活動が活発になってきています。研究者や学界関係者も例外ではなく、たとえば、大規模な国際会議への出張参加の意義も問われ始めています。[14] 飛行機に乗って移動することが受け入れられなくなり、その結果、さまざまな形でのデジタルな交流が増えることになるでしょう。特に歴史研究者にとっては、文書館の調査やフィールド調査の機会が今よりも少なくなるかもしれません。遠くにあるコレクションを調べるための出張は、事前に入念な調査プログラムを準備しなければならないような、長期のものになるかもしれません。これは、簡単に海外旅行ができるようになる前の研究旅行――それはもちろん現在よりも長く、そしてめったにないものでした――を思い起こさせるものです。ララ・パットナムがオンラインリーディングの浅薄さを懸念していることはすでに述べましたが、ひょっとしたら将来的に歴史研究者は「検索結果に出てきた断片だけでなく、特定の時代と場所で起こっていたことの全体像を知るために時間をかける」ような、長年にわたって計画を練った調査旅行をせねばならなくなるかもしれません。[15]

しかし、別の面でもデジタルの重要性は増すことになるでしょう。すでにデジタル化はコレクションを直接訪れることができない人々に対して文化遺産をオープンにしたのであり、これが研究の共通体験になるかもしれません。そのため、どの一次史料をデジタル化するかという判断が今まで以上に重みをもちます。また、文書館を実際に訪れて撮影した写真の共有についても考えねばなりません。それぞれの研究者のハードディスクに眠っている何千枚もの写真は、歴史研究にまだ利用されていない巨大な資源であり、図書館や文書館がその共有を促し、支援する方法を見出すことをわれわれは期待しています。

しかし、デジタルツールやプラットフォーム自体が、ますます監視の目で見られるようになるかもしれません。ウェブサイトの環境監査をしようと考える人はほとんどいませんが、それもすぐに変わるかもしれません。ウェブページはますます巨大になり、ダウンロードするたびに情報が送信されるため、電気代や機器の仕様といった環境コストが当然かかります。そのため、ウェブサイトの二酸化炭素排出量が倫理的な問題となり、ウェブ配信用に画像を最適化したり、動画や音声のようなアセットをローカル配信したりするなどの工夫が求められることになるかもしれません。今後のデジタル化プロジェクトでは、洗練されたインターフェース開発の代わりに、比較的仲介の少ない形でシンプルに研究者に対してデータ提供できるようにすることに重点が置かれるようになるかもしれません。デジタル・アルキメデス・パリンプセスト（Digital Archimedes Palimpsest）プロジェクトはこの良い例です。プロジェクトのウェブサイトには次のようにあります。「このデジタル成果物が何でないかを明確にすることが重要です。これはGUI(グラフィカル・ユーザ・インターフェース)を備えていないため、つまり、扱いにくいものになっています」。その代わり、このサイトはデータアーカイブとして機能しており、ユーザは「どうぞ、お持ち帰りください」とデータを持ち出すことを勧められているのです。[16)]

デジタルプラットフォームとデジタルデータの維持管理には諸経費と、そして環境コストがかかるものです。21 世紀の 30 年目に差し掛かるときには、われわれはそのための適切な方法を考え出さなければなりません。多くの理由から、それは取り組むに値するものなのです。

1 National Archives of the UK, 'The Digital Landscape in Government 2014–15', pp. 5–6.

2 The British Library puts 1,000,000 images into public domain, making them free to remix and reuse', *Open Culture* (14 December 2013), https://www.openculture.com/2013/12/british-library-puts-1000000-images-into-public-domain.html (accessed 11 July 2020); Baratto, 'Rijksmuseum releases 250,000 images of artwork for free download'.
https://www.archdaily.com/790578/rijksmuseum-releases-250000-free-images-of-artwork-for-download, ArchDaily (1 July 2016).

3 Tapscott and Williams, *Radical Openness: Four Unexpected Principles for Success* (TED conferences, 2013). を参照。これを参照できたのはティール・トリッグス（Teal

Triggs）のおかげでした。

4 Mayer-Schönberger, ‘Remembering (to) delete: forgetting beyond informational privacy’, in Thouvenin et al., eds, *Remembering and Forgetting in the Digital Age,* p. 118.

5 Thouvenin, ‘Search engines’, in Thouvenin et al., eds, *Remembering and Forgetting in the Digital Age*, p. 64.

6 Laite, ‘The emmet’s inch’, 2.

7 Laite, ‘The emmet’s inch’, 17.

8 Risam, *New Digital Worlds*, pp. 47–64.

9 Laite, ‘The emmet’s inch’, 19.

10 Askitas, ‘On the interplay between forgetting and remembering’, in Thouvenin et al., eds, *Remembering and Forgetting*, p. 144.

11 Winters and Prescott, ‘Negotiating the born-digital’, 399.

12 PixPlot, http://dhlab.yale.edu/projects/pixplot/ (accessed 11 July 2020).

13 Seebibyte: Visual Search for the Era of Big Data, http://seebibyte.org/ (accessed 11 July 2020).

14 Gerhards, ‘“Greetings from Berlin, Tokyo, Berlin”’.

15 Putnam, ‘The transnational and the text-searchable’, 401.

16 The Digital Archimedes Palimpsest, http://archimedespalimpsest.org/digital/ (accessed 11 July 2020).

確認テストの解答例

ここに挙げたのは、第4章と第5章の章末問題の解答例です。ただし、これが唯一の答えではありません。求める結果を得る方法はいくつもあることが多いのです。

第4章

1.

下位区分された物件を見つけるため、数字（番地）に続く任意の文字を探したいと思います。これは、文字クラス[A-Za-z]を、先ほどの**grep**に追加すれば見つけることができます。

```
grep -E "^[0-9]+[A-Za-z]" Balls-Pond-road.txt
```

結果として、「134A」という物件が一つ返ってきます。これは「cabinet ma〔cabinet maker（家具職人）の略〕」としてリストアップされている箇所です。

また、**-i**フラグを使えば、大文字と小文字を区別しない形で**grep**を行うこともできます。

```
grep -Ei "^[0-9]+[a-z]" Balls-Pond-road.txt
```

こうすると、若干少ない文字入力で、同じ結果を求めることができます。

2.

***.txt** 構文を使うと、対象のテキストファイル群からすべての結果を集めてくるので、元ファイル同士の区別が失われてしまいます。ただし、「ループ」(繰り返し)を使えば、あるディレクトリ内のすべてのファイルに対して、1ファイルずつ処理することが可能です。これは本書の守備範囲を超えますが、「bash loop」などでウェブ検索をすれば、どのような構文で書けば良いか分かるでしょう。

3.

```
grep -Ev "^[0-9]" *.txt | less
```

交差する通りの行を削除するためには、この **grep -v** をもう一つの **grep -v** にパイプでつなげばよく、これは正規表現を試すのに手早い方法です。しかし、はるかに簡単なのは、このコマンドの結果を新しいファイル(たとえば「unnumbered-addresses.txt」としましょう)に書き込んでしまう方法です。

```
grep -Ev "^[0-9]" *.txt > unnumbered-addresses.txt
```

その後で、正規表現と手作業でファイルをきれいにすれば良いでしょう。

第5章

1.

```
grep -E "\bMrs\b" all-b-streets.xml | grep -Eo ",[^,]+<" |
sort | uniq -c | sort -nr | less
grep -E "\bMiss\b" all-b-streets.xml | grep -Eo ",[^,]+<"
```

```
| sort | uniq -c | sort -nr | less
```

これがわれわれの解答ですが、もっと良い方法もあるかもしれません[i]。

2.

定義から言えば、これはあなたの選択次第です。ここでは、Bacon Streetの中の一つの住所に対してより完備したマークアップを施したものを、例として挙げておきましょう。

```
<addr>
      <property number="5" type="residential">5</property>
      <name gender="male">
           <surname>Holding</surname>
           <firstname>Alfred</firstname>
      </name>,
      <occupation type="artisan" material="wood">chairmaker</
      occupation>
</addr>
```

3.

マークアップが施されているなら、開始タグ、それに続く任意のテキスト、そしてそれに続く終了タグを**grep**することができます。たとえば、すべての職業〔occupation〕のリスト化は、次のコマンドで実行可能です。

```
grep -Eo "<occupation.+</occupation>" ファイル名.xml
```

i **sort**のフラグ **-r** は逆順でのソートを表す。

付録1

データの入手方法

本書で説明している技術（特にデータのソート、検索、クリーニング）については、実際に自分で試してみることを強くお勧めします。あなた自身の研究をそのために使うのが、いろいろな意味において最良の方法ではありますが、作業に使えるデータを持っていない場合もあるでしょうし、あるいは、自分で試してみようとしても、〔データの〕形式上の些細な違いのために、本書で説明したようにはコマンドが動作せず、問題が起きて抜け出せなくなるかもしれません。

そこで、読者にとって必要なデータファイル一式を、GitHub のオープンリポジトリに置いておきました（https://github.com/ihr-digital/digital-history）。このページでは、リポジトリのディレクトリ構造がリスト表示されており、その直下には「README.md」ファイル（このファイル自体、上記のリスト内にもあります）の内容である説明テキストがあります。

本書執筆時点では、画面の右側に「Clone or download」と書かれた緑色のボタンがあります。これによって、Git を使ってクローンするための URL を取得したり、リポジトリ全体を zip ファイルでダウンロードしたりすることができます。練習のためには、Git を使う方法を選ぶのが良いかもしれません。Git をインストール済なら（第 4 章を参照）、コマンドラインで次のように入力するだけで済みます。

```
git clone https://github.com/ihr-digital/digital-history
```

そうするとGitは、あなたのコンピュータの「digital-history」という名前のフォルダに、このリポジトリのディレクトリ構造をコピーします。注意して欲しいのは、このコマンドを入力すると、Gitはコマンドプロンプトが指している場所〔すなわちカレントディレクトリ〕（これは**pwd**コマンドで確認できます）でそれを実行するということです。〔クローンした〕リポジトリをローカル環境で使うにあたっては、それをどこに置くかはあまり問題にはなりません。どこか他の場所の方が良いと思ったら、フォルダをどこかに移すのと同じ要領でリポジトリを移動させれば良いでしょう。

クローンする方法を好まないのであれば、zipファイルをダウンロードして好きな場所で解凍すれば良いでしょう。

ともあれ、いったんデータを手に入れたら、フォルダの状態をよく見てください。私たちが取り組むほとんどのファイルは「data」フォルダの中にあります。**cd**を使って、**pwd**の結果が以下の文字列で終わる〔つまりカレントディレクトリを「data」フォルダにする〕ようにしてください。

```
/digital-history/data
```

この最初のスラッシュの前に何が来るかは、もちろんあなた自身のローカルのファイル構造によって変わります。ともあれ正しい場所〔「data」フォルダ〕にたどり着いたならば、作業を開始して大丈夫です。

これらのファイルを相手にいろいろな作業を試してみる際、間違えてしまうのではないかという心配は無用です。実のところ、誤ってファイルを削除してしまったり、上書きしてしまった場合にどうなるのかを、ぜひ見てみて欲しいと思います。第6章のGitのセクションを読み終わっているなら、そこで説明したコマンドを使ってみましょう。**git checkout .**と入力すれば、いつでもリポジトリを初期状態に戻すことができますし、ゼロからもう一度リポジトリをクローンしても良いのです。

付録2

コマンドラインのレシピ

説明を簡潔にするため、ここではおおむねファイル操作のコマンドに絞って紹介することにします。用例を挙げていないコマンドは、引数なしで〔つまりコマンド単体で〕使うことができます。ほとんどすべてのコマンドは、他から与えられた出力（しばしばパイプ〔第4章を参照〕で引き渡されますが、そうでないこともあります）を処理することもできます。

表 A2.1　コマンドラインのレシピ

何ができるのか	コマンド	用例
移動・確認		
カレントディレクトリ（つまり、現在ファイルシステムのどこにいるのか）の表示	**pwd**	-
ディレクトリの変更：ホームディレクトリに移動する	**cd**	-
指定したフォルダに移動する	**cd フォルダ名**	**cd Documents/data**
上の階層に移動する	**cd ..**	**cd ../..**
カレントディレクトリにあるファイルを一覧表示する	**ls**	**ls *.txt**
長い（long）形式の一覧表示、すなわちカレントディレクトリにあるファイルの詳細一覧を表示する	**ls -l**	**ls -l *.pdf**
指定した名前を持つディレクトリを新規作成する	**mkdir ディレクトリ名**	**mkdir new-project**

<table>
<tr><th colspan="3">検索・探索</th></tr>
<tr><td>ファイルの内容を表示する</td><td>cat ファイル名</td><td>cat notes.txt</td></tr>
<tr><td>複数のファイルを結合する</td><td>cat ファイル名 1 ファイル名 2</td><td>cat *.txt > combined.txt</td></tr>
<tr><td>カレントディレクトリまたは任意のサブフォルダから、ある名前を持ったファイルを探す</td><td>find . -name</td><td>find . -name *.mp3</td></tr>
<tr><td>特定のファイルの最初の 10 行を表示する</td><td rowspan="2">head</td><td>head *.xml</td></tr>
<tr><td>ディレクトリの中にある各 CSV ファイルの最初の 3 行を表示する</td><td>head -n 3 *.csv</td></tr>
<tr><td>あるファイルの中の行数・語数・文字数をカウントする</td><td>wc</td><td>wc *.csv</td></tr>
<tr><td>ファイルをソートする</td><td rowspan="2">sort</td><td>sort list.txt</td></tr>
<tr><td>ファイルを逆順でソートする</td><td>sort -nr list.txt</td></tr>
<tr><td>重複した行を削除した一意の行を一覧出力する</td><td>uniq</td><td>sort | uniq</td></tr>
<tr><td>重複した行を削除した一意の行を一覧出力し、かつ重複削除した行数をカウントする</td><td>uniq -c</td><td>sort | uniq -c</td></tr>
<tr><th colspan="3">移動</th></tr>
<tr><td>ファイルを別のディレクトリまたはそのディレクトリにコピーする</td><td>cp</td><td>cp old.txt new.txt
cp *.txt new-project/</td></tr>
<tr><td>ファイルを別のディレクトリに移動するか、そのディレクトリでリネームする</td><td>mv</td><td>mv old.txt new.txt
mv *.txt new-project/</td></tr>
<tr><td>ファイルを完全に削除する</td><td>rm</td><td>rm *.csv</td></tr>
<tr><td>ファイルを削除する。ただし、削除前に一つずつ確認する。</td><td>rm -i</td><td>rm -i *.csv</td></tr>
</table>

<table>
<tr><th colspan="3">スライシング（slicing）とダイシング（dicing）</th></tr>
<tr><td>ある文字列を含む行を返す</td><td rowspan="3">grep</td><td>grep "needle" haystack.txt</td></tr>
<tr><td>ある XML 文書に含まれる一意の要素〔element〕および属性〔attribute〕のリストを生成する</td><td>grep -Eo "<[^/>]+>" filename.xml | sort | uniq</td></tr>
<tr><td>上と同じだが、属性は含めず要素のみ一覧する</td><td>grep -Eo "<[^/>" / filename/ .xml | sort | uniq</td></tr>
<tr><td>特定の列のみ返す</td><td rowspan="2">cut</td><td>cut -f1 myfile.csv</td></tr>
<tr><td>CSV ファイルから 2 列目のみ抽出する</td><td>cut -d, -f2 myfile.csv</td></tr>
<tr><th colspan="3">比較</th></tr>
<tr><td>2 つのソート済リストを比較する</td><td rowspan="2">comm</td><td>comm file-a.txt file-b.txt</td></tr>
<tr><td>ファイル b の中に出てこないファイル a の中のアイテムを表示する</td><td>comm -23 file-a.txt file-b.txt</td></tr>
<tr><td>2 つの〔テキスト〕ファイルの差分を表示する</td><td>diff</td><td>diff file-a.txt file-b.txt</td></tr>
<tr><td>ファイルのハッシュ値を表示する</td><td rowspan="2">md5sum</td><td>md5sum file1.tif</td></tr>
<tr><td>〔ハッシュ値が〕重複したファイル（右の例では tif ファイル）を一覧表示する</td><td>md5sum *.tif | sort | uniq -d</td></tr>
<tr><th colspan="3">操作</th></tr>
<tr><td>ある 1 文字を他の文字に置換する</td><td>tr</td><td>tr '1' '2' < file.xml</td></tr>
<tr><td>「house」を「garden」に置換し、表示する〔元ファイルの内容は変更しない〕</td><td rowspan="3">sed</td><td>sed 's/house/garden/g' novel.txt</td></tr>
<tr><td>元ファイルの中の「house」を「garden」に置換する</td><td>sed -i 's/house/garden/g' novel.txt</td></tr>
<tr><td>フォルダ内のすべてのテキストファイルの中の「house」を「garden」に置換し、かつ元ファイルそれぞれについてバックアップを作成する</td><td>sed -i.bak 's/house/garden/g' *.txt</td></tr>
</table>

Git		
ファイルの状態を確認する（ステージングまたは追跡されている場合）	**git status**	
以前のコミットを詳細表示する	**git log**	
一つのファイルをステージに追加する	**git add**	**git add README.md**
修正を行ったファイルをすべてステージに追加する		**git add .**
ステージングしたファイルをすべてコミットする（コミット時のメッセージを入れる場合）	**git commit -m**	**git commit -m "参考文献情報を追加"**
ファイルを最後のコミットの状態に戻す	**git checkout**	**git checkout chapter1.txt**
フォルダ全体を以前の任意のコミットの状態に戻す（そのコミットのハッシュ値の最初の部分を使う）		**git checkout a9aadf8**
ローカルで行った最後のコミットをリモートリポジトリに反映させる	**git push**	**git push origin**
リモートリポジトリから最後のコミットを〔ローカルに〕取り込む	**git pull**	**git pull origin**
その他		
コマンドの入力履歴を表示する	**history**	**history | grep "cut"**
〔テキスト〕ファイルの各行をランダムな順序で表示する	**shuf**	**shuf -n 10 lottery.txt**
カレンダーを表示する	**cal**	
1552年10月のカレンダーを表示する		**cal 10 1552**
歴史的日付を計算する	**ncal**	
1213年のイースターの日付を表示する		**ncal -e 1213**

付録3

正規表現

ここに挙げるのは、基本的な正規表現のまとめです。これ以外にも使える珍しい構文は若干ありますが、めったに使うことはないので、ここで紹介してもあまり役立たないと判断しました。以下で列挙した正規表現では足りない場合は、Jeffrey Friedl著の*Mastering Regular Expressions*〔邦訳『詳説正規表現 第3版』オライリー・ジャパン, 2008.4〕を参照すると良いでしょう。

表 A3.1　正規表現のまとめ

量指定子（quantifier）	
+	直前の〔正規表現の〕1回以上の繰り返し
?	直前の〔正規表現の〕0回または1回の繰り返し
*****	直前の〔正規表現の〕0回以上の繰り返し〔これを閉包（closure）とも呼ぶ〕
特殊文字（special character）〔メタキャラクタとも呼ぶ〕	
.	任意の1文字
¥n	改行
¥t	タブ
¥b	単語境界
位置指定子〔anchor〕	
^	行の先頭
$	行の末尾

文字クラス

角括弧（**[ ]**）で囲まれたものは、「この中の任意の一つ」を意味する。
否定を表したい場合は、最初に **^** を置けば良い。
例：**[^;]**

後方参照

記憶しておきたい任意の要素〔部分正規表現（subexpression）とも呼ぶ〕は、丸括弧 **()** で囲む。エディタによっては、**¥(** と **¥)** が使われることもある。
複数の丸括弧を後方参照する場合、左から順に **$1**、**$2**…と指定する（エディタによっては、**¥1**、**¥2**…または **¥¥1**、**¥¥2**…とする）。

エスケープ処理

以下の特殊文字を文字列として扱う〔これをエスケープという〕ためには、直前に **¥** を置く必要がある。

$^.[]+?*¥

たとえば、「?」を文字列としてを検索するには、次のように書く必要がある（他の特殊文字も同様）。

¥?

また、ほとんどのエディタでは、括弧記号はエスケープされる必要がある。

用語集

|	**パイプ**を見よ
add (Git における)	後述の**コミット**に含まれるファイルをマークする
API	ウェブリソースが提供する機能。複雑なクエリや検索結果のダウンロードを可能にする。API クエリは、URL を操作することで実行できる場合もあるが、通常は API で許可されているプログラミング言語で書かれたスクリプトによって実行される。
bash	**コマンドライン**においてデフォルトで実行されるプログラム。しばしばコマンドラインと同義語として扱われる。
cat（concatenate の略）	一つまたは複数のファイルの内容を表示するコマンド
cd（change directory の略）	指定したフォルダに移動するコマンド
CLI（コマンドラインインターフェース）	**コマンドライン**を参照
CSV（コンマ区切り値）	カンマで列を区切った構造化テキスト形式
DTD（文書型定義）	**XML** のルールファイル。**スキーマ**よりも機能は劣るが、簡単に記述できる。
GIS（地理情報システム）	地理データと地図表示を結び付けるためのシステム
Git（**バージョン管理**も参照）	ファイルの変更履歴を記録し、以前の状態に戻すことができるプログラムのこと。通常、ファイルは個人のコンピュータとクラウドの**リポジトリ**に保管され、両者間で同期される。
grep（global regular expression print の略）	**プレーンテキスト**ファイルを検索するための**コマンドライン**プログラム
HTML	ウェブブラウザで文書を表示するために使われる構造化テキストフォーマット
JSON（JavaScript Object Notation の略）	構造化テキストフォーマット

Linux	初期の Unix OS をベースにしたフリーの OS
OCR（光学式文字認識）	テキスト画像からプログラムでテキストを抽出する（参照：**手入力**）。
pwd（print working directory の略）	カレントディレクトリを指定するコマンド
RDF（resource description framework）	情報を、「主語」「目的語」「述語」からなる三つ組み（トリプル）で構成するモデル
TEI（Text Encoding Initiative）	**XML** でテキストをエンコードするためのガイドライン
TSV（タブ区切り値）	タブで列を区切る構造化テキストフォーマット
Unix	ベル研究所によって開発された OS で、大部分は Mac と Linux の OS の基礎となっている。Windows の OS とは基幹が異なる。
Web 2.0	たとえばブログコメントやソーシャルメディアへの投稿など、ユーザがウェブサイトに自分のコンテンツを追加できるウェブの形態を意味する。
WYSIWYG（What You See is What You Get の略）	たとえば、太字のテキストは画面上では太字で表示されるように、文書を見たままの形式で出力するエディタ。Microsoft Word はもっとも一般的に使われる WYSIWYG エディタである（参照：**プレーンテキスト**）。
XML（Extensible Markup Language）	ユーザの選択に応じてテキストをマークアップすることができる柔軟な言語
XML エディタ	XML の構文を理解し、関連する **DTD** や**スキーマ**で指定されているルールと比較し、エラーを報告することができるエディタ
アンカー（anchor）	行頭または行末を意味する 2 つの**正規表現**文字のうちの 1 つ
値（value）	XML の**要素**の一部であり、**属性**とともに使われ、エンコーディングを拡張する。たとえば、<person married="yes"> の場合、属性 married の値は yes となる。
遠読（distant reading）	全体からパターンを導き出すことを目的とした、テキストデータセットに対するコンピュータによる分析手法

機械可読（machine-readable）	プログラムによってテキストとして理解されうるテキストのこと。一連のピクセル群として理解されるようなテキストの画像とは異なる。
クラウドソーシング（crowdsourcing）	画像から翻刻を作成したりそれを修正したりするなど、史料を充実化するために、一般の人々の協力を広く募る。
グレースケール（greyscale）	モノクロではあるが、オリジナルの階調を維持したスキャンのこと。**白黒2値**形式よりも高画質であり、ファイルサイズも大きくなる。
クローン（clone）	Git clone のコマンドを使うことで、**Git リポジトリ**の完全なコピーを作成することができる。
コマンドライン（command line）	コンピュータと対話するためのテキストインターフェース。**bash**、**CLI**、**ターミナル**も見よ。
コミット（commit）	**Git リポジトリ**内のファイルの変更履歴を作成し、そのバージョンに戻せるようにする
再現率（recall）	検索されたコレクションにおける正しい結果の全体に占める、正しい検索結果の割合（参照：**適合率**）
シェープファイル（shapefile）	デジタルマッピングに使用できるように、領域や自然の特徴を記述するフォーマット
ジオコーディング（geocoding）	オブジェクトを地図上の位置に関連付けるためのプロセス
ジオレクティフィケーション（georectification）	歴史地図を、地形上の同じ部分の現代地図と一致させるように修正を施す。
白黒2値（bitonal）	白と黒だけを使用したスキャン形式で、**グレースケール**に比べて階調や細部が失われるが、ファイルサイズは小さくなる。
スキーマ（schema）	XML で記述された XML のルールファイル。**DTD** よりも強力だが、記述がより複雑である。
正規表現（regex）	文字のパターンに基づいてテキストを検索（および、任意に置換）するための構文。この構文の概要については付録3を参照。

属性（attribute）	**XML要素**の一部であり、**値**とペアで用いられ、符号化を拡張するもの。たとえば、<person married="yes">では、属性はmarriedで、値はyesとなる。
ターミナル（terminal）	**コマンドライン**と同じ
タグ（tag）	**XML要素**の一部。通常は開始タグと終了タグでのペアになっているが、単独で利用する場合もある。
チェックアウト（check out）	Gitの**リポジトリ**内のファイルを異なるバージョン（通常は以前のバージョン）に変更する
適合率（precision）	検索結果における正しい結果の割合（参照：**再現率**）
テキストエディタ（text editor）	ファイルをプレーンテキスト形式で表示するプログラム。Microsoft Wordのような表現効果のみを表示するエディタとは異なる（**WYSIWYG**）。
手入力（rekeying）	テキストの画像から人間がテキストを抽出する（参照：**OCR**）。
ニューラルネットワーク（neural network）	人間の脳の構造や学習の方法をコンピュータで再現したもの
バージョン管理（version control）	一連のファイルの状態を長期的に追跡し、必要に応じて別の状態に戻すためのシステム。もっとも一般的なシステムは**Git**である。
パイプ（pipe）	パイプと呼ぶコマンドラインの構文である「 | 」のこと。これにより、パイプの前にあるコマンドの出力結果を、パイプの後に続くコマンドに送ることができる。
ハッシュ（ハッシュ値）（hash（for hash value））	**バージョン管理**や、ファイルが改ざんされていないことを確認するために使用される、ファイルを一定の桁数で表現したもの。ハッシュを生成するアルゴリズムは、ファイルにごくわずかな変更があると、ハッシュ全体を変更するようになっている。
ビッグデータ（big data）	大量のデータのこと。通常、リアルタイムかつコンスタントに更新されるもので、標準的なソフトウェアの分析能力を大きく超える。

フラグ（flag）	デフォルトのコマンドライン命令に修正を加えるもの。通常はハイフンを頭につける。たとえば、grep -i であれば大文字・小文字を区別せず検索できる。
ブランチ（Git における）	**リポジトリ**内のファイルの別のコピーを作成して、主作業とは別の作業を行うことができる。たとえば、実験的な作業等。
プレーンテキスト（plain text）	表示方法の情報があっても画面上のテキストの見た目を変更しない形式のテキストのこと。たとえば、太字のテキストを太字として表示するのではなく、太字にするための指示を含めて表示する。プレーンテキストファイルはよく .txt の拡張子を持つ（参照：**WYSIWYG**）。
ボーンデジタル（born digital）	デジタル形式で作成されたデータ
マークアップ（markup）	ファイルの内容をどのように処理し、あるいは理解するかを示すもの。もっとも一般的なマークアップ言語は、ウェブブラウザでのファイルの表示方法を指示する **HTML** と、ファイルの内容がどのように構造化され、その構造が何を意味するかを記述する **XML** である。
マージ（merge）	**Git** において、複数の**ブランチ**を統合すること。ファイルの衝突があった場合には、どのファイルのどの部分を優先するかも決定する。
文字クラス（character class）	**正規表現**において、複数の文字のなかのどれか一つにマッチする構文
文字列（string）	一連の文字。たとえば "how are you?" は、句読点やスペースを含む文字列である。
要素（element）	**XML** の**マークアップ**における完結した一部分であり、通常は 2 つの**タグ**で構成される。
リポジトリ（repository）	**Git** で**バージョン管理**されたファイルの集まり
量指定子（quantifier）	直前の文字の何回の繰り返しに対してマッチさせるかを規定する、**正規表現**で利用される文字

参考文献

Atkins, Peter J., *The Directories of London, 1677-1977* (London: Continuum International Publishing, 1990).

Ayers, Edward L., 'The Pasts and Futures of Digital History', http://www.vcdh.virginia.edu/PastsFutures.html (accessed 8 July 2020).

Baratto, Romullo, 'Rijksmuseum releases 250,000 images of artwork for free download', *ArchDaily* (1 July 2016), https://www.archdaily.com/790578/rijksmuseum-releases-250000-free-images-of-artwork-for-download (accessed 11 July 2020).

Barney, Stephen A., ed., *The Etymologies of Isidore of Seville* (New York: Cambridge University Press, 2010).

Berry, David M., *The Philosophy of Software: Code and Mediation in the Digital Age* (Basingstoke: Palgrave Macmillan, 2015).

Berry, David M. and Fagerjord, Anders, *Digital Humanities: Knowledge and Critique in a Digital Age* (Cambridge: Polity, 2017).

Blair, Ann, *Too Much to Know: Managing Scholarly Information before the Modern Age* (New Haven and London: Yale University Press, 2011).〔アン・ブレア著, 住本規子, 廣田篤彦, 正岡和恵訳（2018）『情報爆発：初期近代ヨーロッパの情報管理術』中央公論新社 . 448p.〕

Blaney, Jonathan, 'Introduction to the principles of linked open data', *Programming Historian* (7 May 2017), https://programminghistorian.org/en/lessons/intro-to-linked-data (accessed 5 July 2020).

Blaney, Jonathan and Siefring, Judith, 'A culture of non-citation: assessing the digital impact of British History Online and the Early English Books Online Text Creation Partnership', *Digital Humanities Quarterly*, 11.1 (2016), no pagination.

Bodard, Gabriel, 'Scanning and printing a Greek vase' (blog), *Institute of Classical Studies* (15 January 2018), https://ics.blogs.sas.ac.uk/ 2018/01/15/scanning-and-printing-a-greek-vase/ (accessed 8 July 2020).

Braudel, Fernand, *Écrits sur l'histoire* (Paris: Flammarion, 1969).

Brown, John Seely and Duguid, Paul, *The Social Life of Information* (Boston: Harvard Business Review Press, 2000).〔ジョン・シーリー・ブラウン, ポール・ドゥグッド著, 宮本喜一訳. (2002)『なぜ IT は社会を変えないのか』日本経済新聞社. 363p.〕

Brügger, Niels and Milligan, Ian, *The SAGE Handbook of Web History* (Los Angeles: SAGE, 2018).

Brügger, Niels and Schroeder, Ralph, *The Web as History: Using Web Archives to Understand the Past and the Present* (London: UCL Press, 2017), available open access at https://www.uclpress.co.uk/collections/media-studies/products/84067 (accessed 8 July 2020).

Bush, Vannevar, 'As we may think', *The Atlantic* (July 1945), https://www.theatlantic.com/

magazine/archive/1945/07/as-we-may-think/303881/ (accessed 8 July 2020).〔ヴァネヴァー・ブッシュ著, 西垣通訳「われわれが思考するごとく」『思想としてのパソコン』NTT 出版, 1997, pp.65-90.〕

Carr, Nicholas G., *The Shallows: How the Internet Is Changing the Way We Think, Read and Remember* (London: Atlantic Books, 2010).〔ニコラス・G. カー著, 篠儀直子訳.（2010).『ネット・バカ：インターネットがわたしたちの脳にしていること』青土社 . 359, 5p.〕

Chacon, Scott and Straub, Ben, *Pro Git*, 2nd edition (New York: Apress, 2014), https://git-scm.com/book/en/v2 (accessed 10 July 2020).

Chater, Nick, *The Mind Is Flat: The Illusion of Mental Depth and the Improvised Mind* (London: Allen Lane, 2018).〔ニック・チェイター著, 高橋達二, 長谷川珈訳（2022)『心はこうして創られる：「即興する脳」の心理学』講談社. 333p.〕

Cohen, Daniel J., 'From Babel to knowledge: data mining large digital collections', *D-Lib Magazine*, 12.3 (2006), https://doi.org/10.1045/march2006-cohen.

Conrad, Alfred Haskell and Meyer, John Robert, *The Economics of Slavery: And Other Studies in Econometric History* (Chicago: Aldine Publishing Company, 1964).

Corens, Liesbeth, Peters, Kate and Walsham, Alexandra, eds, *Archives and Information in the Early Modern World*, Proceedings of the British Academy, 212 (Oxford: Oxford University Press, 2018).

Crawford, Matthew, *The World Beyond Your Head: How to Flourish in an Age of Distraction* (London: Viking, 2015).

Crompton, Constance, Lane, Richard and Siemens, Raymond, eds, *Doing Digital Humanities: Practice, Training, Research* (London: Routledge, 2016).

Darnton, Robert, 'A program for reviving the monograph', *Perspectives on History* (1 March 1999), https://www.historians.org/publications-and-directories/perspectives-on-history/march-1999/a-program-for-reviving-the-monograph (accessed 8 July 2020).

Dictionary of National Biography on CD-ROM (Oxford: Oxford University Press, 1995).

D'Ignazio, Catherine and Klein, Lauren F., *Data Feminism* (Cambridge, MA: MIT Press: 2020).

Dourish, Paul, *The Stuff of Bits: An Essay on the Materialities of Information* (Cambridge, MA: MIT Press: 2017).

Drucker, Johanna, 'Humanities approaches to graphical display', *Digital Humanities Quarterly*, 5.1 (2011), http://www.digitalhumanities.org/dhq/vol/5/1/000091/000091.html (accessed 12 November 2020).

Edgerton, David, *The Shock of the Old: Technology and Global History Since 1900* (Oxford: Oxford University Press, 2007).

Evans, David, 'Worm wars: the anthology', *Development Impact,* World Bank blogs (4 August 2015), http://blogs.worldbank.org/impactevaluations/worm-wars-anthology (accessed 11 July 2020).

Friedl, Jeffrey M., *Mastering Regular Expressions*, 3rd edition (Sebastopol: O'Reilly, 2006).〔Jeffrey E.F.Friedl著, 長尾高弘訳(2008)『詳説正規表現 第3版』オライリー・ジャパン. 501p.〕

Gartner, Richard, *Metadata: Shaping Knowledge from Antiquity to the Semantic Web* (Cham, Switzerland: Springer International, 2016).

Gawande, Atul, 'Why doctors hate their computers', *New Yorker* (5 November 2018), 62–73.

Gentzkow, Matthew, Kelly, Bryan T. and Taddy, Matt, 'Text as data', *Journal of Economic Literature*, 57.3 (2019), 535–574, https://doi.org/10.1257/jel.20181020.

Gerhards, Jürgen, '"Greetings from Berlin, Tokyo, Beijing" – should we call time on international academic travel?', *LSE Impact Blog* (25 February 2019), https://blogs.lse.ac.uk/impactofsocialsciences/2019/02/25/greetings-from-berlin-tokyo-beijing-should-we-call-time-on-international-academic-travel/ (accessed 11 July 2020).

Gold, Matthew and Klein, Lauren, eds, *Debates in the Digital Humanities 2016* (Minneapolis: University of Minnesota Press, 2016), https://doi.org/10.5749/9781452963761.

Grafton, Anthony, *The Footnote: A Curious History* (London: Faber, 1997).

———, *Worlds Made by Words: Scholarship and Community in the Modern West* (Cambridge, MA: Harvard University Press, 2009).

Greengrass, Mark and Hughes, Lorna M., eds, *The Virtual Representation of the Past* (Farnham: Ashgate, 2008).

Haggerty, John and Haggerty, Sheryllynne, 'The life cycle of a metropolitan business network: Liverpool 1750–1810', *Explorations in Economic History*, 48.2 (2011), 189–206, https://doi.org/10.1016/j.eeh.2010.09.006.

Hedges, Mark and Dunn, Stuart, 'Crowd-Sourcing Scoping Study: Engaging the Crowd with Humanities Research' (London: Arts and Humanities Research Council, 2012), https://kclpure.kcl.ac.uk/portal/files/5786937/Crowdsourcing_connected_communities.pdf (accessed 5 July 2020).

Hill, Mark J. and Hengchen, Simon, 'Quantifying the impact of dirty OCR on historical text analysis: Eighteenth Century Collections Online as a case study', *Digital Scholarship in the Humanities*, 34.4 (2019), 825–843 https://doi.org/10.1093/llc/fqz024.

Hitchcock, Tim, 'Confronting the digital, or how academic history writing lost the plot', *Cultural and Social History*, 10.1 (2013), 9–23, https://doi.org/10.2752/147800413X13515292098070.

———, 'Digital affordances for criminal justice history', Crime, *History and Societies*, 21.2 (2017), 335–342.

Holley, Rose, 'How good can it get? Analysing and improving OCR accuracy in large scale historic newspaper digitisation programs', *D-Lib Magazine*, 15.3/4 (2009), https://doi.org/10.1045/march2009-holley.

Hudson, Pat and Ishizu, Mina, *History by Numbers: An Introduction to Quantitative Approaches*, 2nd edition (London: Bloomsbury, 2017).

Janert, Philipp K., *Gnuplot in Action*, 2nd edition (Shelter Island: Manning Publications, 2015).

Laite, Julia, 'The emmet's inch: small history in a digital age', *Journal of Social History* (online first), https://doi.org/10.1093/jsh/shy118.

Le Roy Ladurie, Emmanuel, *Le territoire de l'historien* (Paris: Gallimard, 1973).〔E. ル＝ロワ＝ラデュリ著, 樺山紘一, 木下賢一, 相良匡俊, 中原嘉子, 福井憲彦訳（1991）『新しい歴史：歴史人類学への道 新版』藤原書店. 317p.〕

Levy, Steven, 'A spreadsheet way of knowledge', *Backchannel* (24 October 2014), https://medium.com/backchannel/a-spreadsheet-way-of-knowledge-8de60af7146e (accessed 8 July 2020).

Liberman, Mark 'Excel invents genes', *Language Log* (26 August 2016), https://languagelog.ldc.upenn.edu/nll/?p=27730 (accessed 11 July 2020).

Licklider, J. C. R., *Libraries of the Future* (Cambridge, MA: MIT Press, 1965).

Milligan, Ian, 'Illusionary order: online databases, optical character recognition, and Canadian history, 1997–2010', *Canadian Historical Review*, 94.4 (2013), 540–569.

———, 'Lost in the infinite archive: the promise and pitfalls of web archives', *International Journal of Humanities and Arts Computing*, 10 (2016), 78–94, https://doi.org/10.3366/ijhac.2016.0161.

Montgomery, Guy, Jackman, Mary and Agoa, Helen S., eds, *Concordance to the Poetical Works of John Dryden* (New York: Russell & Russell, 1967).

National Archives of the UK, 'The Digital Landscape in Government 2014-15: Business Intelligence Review' (London: National Archives of the UK, 2016), www.nationalarchives.gov.uk/documents/digital-landscape-in-government-2014-15.pdf (accessed 11 July 2020).〔現在は次の URL にリダイレクトされる。 https://cdn.nationalarchives.gov.uk/documents/digital-landscape-in-government-2014-15.pdf（最終アクセス：2023 年 8 月 25 日）〕

Newport, Cal, *Digital Minimalism: On Living Better with Less Technology* (London: Penguin, 2019).〔カル・ニューポート著, 池田真紀子訳（2019）『デジタル・ミニマリスト：本当に大切なことに集中する』早川書房. 318p.（文庫版は 2021 年に刊行）〕

Noble, Safiya Umoja, *Algorithms of Oppression: How Search Engines Reinforce Racism* (New York: New York University Press, 2018).

O'Neil, Cathy, *Weapons of Math Destruction: How Big Data Increases Inequality and Threatens Democracy* (London: Penguin, 2017).〔キャシー・オニール著, 久保尚子訳（2018）『あなたを支配し、社会を破壊する、AI・ビッグデータの罠』インターシフト. 333p.〕

Osterberg, Gayle, 'Update on the Twitter archive at the Library of Congress', Library of Congress Blog (26 December 2017), https://blogs.loc.gov/loc/2017/12/update-on-thetwitter-archive-at-the-library-of-congress-2/?loclr=blogloc (accessed 8 July 2020).

Parker, Matt, *Humble Pi: A Comedy of Maths Errors* (London: Allen Lane, 2019).〔マット・パーカー著, 夏目大訳（2022）『屈辱の数学史 : A COMEDY OF MATHS ERRORS』山と溪谷社 . 478p.〕

Pons, Anaclet, *El desorden digital. Guía para historiadores y humanistas* (Madrid: Siglo XXI, 2015).

Putnam, Lara, 'The transnational and the text-searchable: digitized sources and the shadows they cast', *American Historical Review*, 121.2 (2016), 377–402.

Raulff, Ulrich, *Farewell to the Horse: The Final Century of Our Relationship*, trans. by Ruth Ahmedzai Kemp (London: Allen Lane, 2017).

Risam, Roopika, *New Digital Worlds: Postcolonial Digital Humanities in Theory, Practice, and Pedagogy* (Evanston: Northwestern University Press, 2018).

Sassone, Peter G., 'Survey finds low office productivity linked to staffing imbalances', *National Productivity Review*, 11.2 (1992), 147–158, https://doi.org/10.1002/npr.4040110203.

Schafer, Valérie, Truc, Gérôme, Badouard, Romain, Castex, Lucien and Musiani, Francesca, 'Paris and Nice terrorist attacks: exploring Twitter and web archives', *Media, War and Conflict* (3 April 2019), https://doi.org/10.1177/1750635219839382.

Scott, James C., *Seeing Like a State: How Certain Schemes to Improve the Human Condition Have Failed* (New Haven: Yale University Press, 1998).

Siefring, Judith and Meyer, Eric T., 'Sustaining the EEBO-TCP Corpus in Transition: Report on the TIDSR Benchmarking Study' (Rochester: Social Science Research Network, 2013), https://papers.ssrn.com/abstract=2236202 (accessed 8 July 2020).

Spence, Ian, 'Playfair, William (1759–1823)', *Oxford Dictionary of National Biography'* (Oxford: Oxford University Press, n.d.), https://doi.org/10.1093/ref:odnb/22370.

Spiegelhalter, David, *The Art of Statistics: Learning from Data* (London: Pelican Books, 2019).

Suber, Peter, *Open Access* (Cambridge, MA, and London: MIT Press, 2012), available open access at www.dropbox.com/s/5cxsyzs58a5yx5q/9286.pdf?dl=0 (accessed 19 July 2020).〔現在はリンク切れとなっており、次のサイトで全文アクセスが可能。https://openaccesseks.mitpress.mit.edu/（最終アクセス：2023 年 8 月 25 日）〕

Swartz, Nikki, 'UK puts parliament proceedings online', *Information Management Journal*, 42.4 (2008), 7.

Tamm, Marek and Burke, Peter, eds, *Debating New Approaches to History* (London: Bloomsbury Academic, 2018).

Tanner, Simon, Muñoz, Trevor and Ros, Pich Hemy, 'Measuring mass text digitization, quality and usefulness: lessons learned from assessing the OCR accuracy of the British Library's 19th Century Online Newspaper Archive', *D-Lib Magazine*, 15.7/8 (2009), https://www.dlib.org/dlib/july09/munoz/07munoz.html (accessed 5 July 2020).

Tapscott, Don and Williams, Anthony D., *Radical Openness: Four Unexpected Principles for Success* (New York: TED Conferences, 2013).

Thomas, David, Fowler, Simon and Johnson, Valerie, *The Silence of the Archive* (London: Facet Publishing, 2017).

Thouvenin, Florent, Hettich, Peter and Burkert, Herbert, *Remembering and Forgetting in the Digital Age* (New York: Springer, 2018).

Tufte, Edward R., *Envisioning Information* (Cheshire, CT: Graphics Press, 1990).

———, *Beautiful Evidence* (Cheshire, CT: Graphics Press, 2006).

Veyne, Paul, *Les grecs, ont-ils cru à leur mythes?: essai sur l'imagination constituante* (Paris: Seuil, 1983).〔ポール・ヴェーヌ著, 大津真作訳（1985）『ギリシア人は神話を信じたか : 世界を構成する想像力にかんする試論』法政大学出版局. 322, 10p.〕

Vice, John and Farrell, Stephen, *The History of Hansard* (London: House of Lords Hansard and the House of Lords Library, 2015).

Winters, Jane and Prescott, Andrew, 'Negotiating the born-digital: a problem of search', *Archives and Manuscripts*, 47 (2019), 391–403, https://doi.org/10.1080/01576895.2019.1640753.

Wolf, Maryanne, *Reader, Come Home: The Reading Brain in a Digital World* (New York: Harper, 2018).〔メアリアン・ウルフ著, 大田直子訳（2020）『デジタルで読む脳×紙の本で読む脳 :「深い読み」ができるバイリテラシー脳を育てる』インターシフト（合同出版）. 293p.〕

Yau, Nathan, *Visualize This: The Flowing Data Guide to Design, Visualization, and Statistics* (Indianapolis: John Wiley & Sons, 2011).

Ziemann, Mark, Eren, Yotam and El-Osta, Assam, 'Gene name errors are widespread in the scientific literature', *Genome Biology,* 17 (2016), 177, https://doi.org/10.1186/s13059-016-1044-7.

Zuboff, Shoshana, *The Age of Surveillance Capitalism* (London: Pro le Books, 2019).〔ショシャナ・ズボフ著, 野中香方子訳（2021）『監視資本主義 : 人類の未来を賭けた闘い』東洋経済新報社. 606, 148p.〕

図版一覧

表一覧

訳者あとがき

本書は、Jonathan Blaney, Jane Winters, Sarah Milligan, Marty Steer. *Doing digital history: A beginner's guide to working with text as data*. Manchester University Press. 2021. の全訳である。本書は、ロンドン大学歴史学研究所（Institute of Historical Research, IHR）による“IHR Research Guides”というシリーズの一冊であり、同シリーズは最終学年の学部生および院生を主たる読者層に据え、若手研究者が新しい研究分野に取り組む際に役立つよう、その分野の概況や方法論だけでなく、実践的なケーススタディを解説する内容となっている[1)]。デジタルヒストリーの実践的な入門書として著された本書は、そのシリーズの方針に忠実である。すなわち、本書は、デジタルヒストリーの定義と歴史を簡単に紹介したうえで、デジタルヒストリー研究の課題設定の考え方に始まり、史料のデジタル化およびデジタルデータの作り方、プレーンテキストと構造化テキスト（XML）の処理方法、そして、研究プロジェクト管理のための Git の使い方とデータ可視化手法に至るまで、研究のライフサイクル全体を視野に収めた解説を行い、最後にデジタルヒストリーの将来を予測し議論を閉じている。なお、翻訳は菊池信彦と大沼太兵衛の 2 名で分担し、菊池が主に前半（第 1 章から第 3 章、および 8 章）を、大沼が後半（第 4 章から第 7 章、および付録、解答例）を担当した。また、それぞれが担当した訳文を相互に読み合わせることで、訳の統一を図っている。上述のとおり本書はデジタルヒストリーの実践に焦点を当てた入門書であるため、その実践における心理的障壁を低くすることをねらい、翻訳には敬体（いわゆる「ですます調」）を採用することとした。

著者らは、いずれもデジタルヒューマニティーズの研究者であると同時に、さまざまなキャリアを経て IHR でデジタルヒストリーやデジタルヒューマニティーズに関するプロジェクトに携わってきた人物である。原著では著者らの経歴は掲載されていないが、訳者らが問い合わせたところ次の情報をいただいたのでその経歴を紹介したい。

筆頭著者のジョナサン・ブレイニー（Jonathan Blaney）は、オックスフォード大学出版局で辞書編集者として勤務した後、オックスフォード大学ボドリアン図書館の Early English Books Online プロジェクトを経て、IHR でデジタルヒューマニティーズに関する複数のプロジェクトで勤務した。現在は、ケンブリッジ大学デジタルヒューマニティーズセンターおよび英国の高等教育機関向けのデータインフラを提供する非営利組織 JISC に勤務している。

ジェーン・ウィンターズ（Jane Winters）は、ロンドン大学高等研究所（School of Advanced Study, SAS）に勤務するデジタルヒューマニティーズの教授であり、また、同研究所図書館の副館長も務めている人物である。これまで多数のデジタルヒューマニティーズプロジェクト（The Congruence Engine: Digital Tools for New Collections-Based Industrial Histories、The Heritage Connector 等）に関わってきた豊富な経験がある。ウィンターズは、デジタルヒストリーやウェブアーカイブ等のボーンデジタルアーカイブ、文化機関によるソーシャルメディアの利用、オープンアクセス出版に関心を寄せており、近年はウェブアーカイブ等に関するさまざまな研究論文・専門書を発表している。

サラ・ミリガン（Sarah Milligan）は、情報管理、電子出版を専門とする独立系研究者で、英国とカナダで Map of Early Modern London や the Internet Shakespeare Editions、British History Online 等のデジタルヒューマニティーズプロジェクトに関わってきた経験がある。

最後に、マーティ・スティア（Marty Steer）は、25 年以上にわたるデジタルヒューマニティーズおよびその関連分野での経験を有する独立系研究者であり、また、編集者としての実績がある。スティアは、コンピュータサイエンスからそのキャリアをスタートさせ、認知科学、そしてデジタルヒストリーやデジタルヒューマニティーズの分野で研究活動を行ってきた。現在は Mythaxis Magazine という電子雑誌の運営に関わっている。

このように著者らは IHR でのデジタルヒューマニティーズあるいはデジタ

ルヒストリーのプロジェクトに携わってきただけでなく、IHR が提供するデジタルヒストリーに関するさまざまな研修コースの講師も担当してきた人物である。IHR のウェブサイトにある研修コースのページを見ると、中世・ルネサンス期のラテン語文法コースや中近世写本読解のための古文書・文献学コースに並んで、「歴史研究者のためのデータベース」や「歴史学のためのマッピングおよび GIS」等の興味深いデジタルヒストリーのコースが並んでいる [2)]。訳者らが著者らに問い合わせたメールの返信によると、彼／彼女らは、IHR では若手からシニアに至るさまざまな研究者に対し、デジタルヒューマニティーズ研究のアドバイザーとしてこれを支え、また、Being Human や Bloomsbury Festival といった一般市民向けのイベントにも参加し、市民に対してデジタルヒューマニティーズの入門を教える活動も行ってきたという。本書の直接の執筆背景は IHR の研修講師の経験であろうが [3)]、同時に、IHR 内外においてさまざまなレベルあるいは知識をもつ人々と、デジタルヒストリーに関するコミュニケーションを行った経験が下敷きになっていると言えるだろう。

本書翻訳のきっかけは、訳者の一人である大沼が Twitter で本書の翻訳の必要性を訴えた内容に菊池が共感したことに始まる。近年、くずし字認識技術の登場が話題になったように、その基盤となった AI 技術の向上を背景に、国立国会図書館等において、研究に利用可能な大規模なテキストデータの整備が急速に進みつつある。しかし、テキストデータの利用環境が整いつつあるとはいえ、デジタル技術をこれまで積極的に活用してこなかったタイプの人文・社会化学系の研究者が、すぐさまその環境を活用して研究を進めることができるようになるとは考えにくい。その意味で、テキストデータの利用方法をテーマとした本書は時宜を得たものと言えるだろう。本書翻訳を企画したのも、日本ではまださほど進んではいない、デジタルヒューマニティーズあるいはデジタルヒストリーの方法論の「民主化」を、多少なりとも前へ進めることを願ってのことである。このような事情を含めて株式会社文学通信に本企画を相談し、ありがたくも翻訳が実現した。文学通信社長の岡田圭介氏ならびに編集担当の渡辺哲史氏に改めて深く感謝申し上げたい。

著者ら自身が述べるように、本書が教える内容はAI等の最先端技術ではなく、また、それが前提とするプログラミング技術ではない。むしろコマンドラインや正規表現等の「枯れた」技術が中心である。ここでいう「枯れた」とは、時代遅れで役に立たないという意味ではなく、汎用性がありすぐに陳腐化することのない技術という意味である。これら「枯れた」技術を学ぶことは、本書が示すように、歴史学に限らずテキストデータを扱う人文・社会科学全般において、従来の営みではなしえなかった速度と正確さ、そして場合によっては新たな視点で研究活動を前に進めることができるようになることを意味する。なお、本書はイギリス史の史料を対象としているが、本書で紹介されているテキスト処理技術は英語以外のヨーロッパ言語はもちろん日本語資料でも同じように適用可能である。日英で事情が異なる点は、訳注で補足しているので、あわせて参考いただきたい。

本書が、デジタルヒューマニティーズやデジタルヒストリーの専門教育の現場だけでなく、人文・社会科学のさまざまな領域において取り上げられ、そして、一人でも多くの読者がデジタルヒューマニティーズあるいはデジタルヒストリーを実践するその助けとなるならば、それは著者だけでなく訳者にとってもまた望外の喜びである。

本書刊行にあたっては、企画、編集、原著者との連絡調整に至るまで、編集者の渡辺哲史さんに多大なご協力をいただきました。また、訳者の一人である大沼太兵衛さんには、なかなか進まない菊池の翻訳に大変ご迷惑をおかけしました。菊池の仕事の遅さがお二人の堪忍袋の緒を引きちぎったのは二度や三度では済まないはず。お二人に深くお詫びと、そして心からの感謝を申し上げます。

2022年12月吉日

訳者を代表して　菊池信彦

1 "IHR Research Guides". Institute of Historical Research. https://www.history.ac.uk/publications/ihr-books-series/ihr-research-guides (accessed 2022-12-06).

2 "Research Training". Institute of Historical Research. https://www.history.ac.uk/study-training/research-training (accessed 2022-12-06).

3 "IHR Research Guide: Doing Digital History". On History. 2021-05-20. https://blog.history.ac.uk/2021/05/ihr-research-guide-doing-digital-history/ (accessed 2022-12-06).

補論

～構造化テキストの構造を活かした処理～

小風 尚樹・永崎 研宣

この補論では、第 5 章で扱われる構造化テキストの検索や分析に関して、その特性をより活かした形での利用方法を補足します。まず、本書で推奨するコマンドラインの利用においては、XML のデータ構造に対応したより有用なコマンドが利用可能であることから、その利用方法について解説することで、コマンドライン利用のさらなる可能性を補足します。そして、本書の方針とは若干異なるものの、構造化テキストの構造がプログラミングを通じて如何にして活用可能かということをご覧いただくことも有用であると考え、若干の例を示すこととします。

【コマンドライン編】

担当：永崎 研宣

grep 検索の得手不得手

第 4 章で学んだ grep は高速かつ便利で、しかも使い方も安定しており、小生も四半世紀以上愛用している有用なコマンドです。一度覚えればそのように長期間にわたって通用するスキルであることも魅力です。しかしながら、XML ファイルを検索する場合には留意すべき点があります。というのは、grep は行単位で区切られた情報を検索するのが基本的な機能です。一応、行またぎ検索も可能ではあるものの、その場合には使いやすいものであるとは言いがたいのです。一方、XML ファイルは、行とは無関係に、タグで情報を区切るルールとなっているため、XML に準拠して作成されたファイルでは、一行の中に複数のタグが入っていたり、一つのタグを付与された文字列が複数行にまたがっていたりすることが少なくありません。このような状況のテキストをgrepで検索して求める要素を取り出そうとすると高度な処理が必要となってしまう上に、それが正しくできたかどうか確認する方法も容易ではないのです。

本来、XMLはタグの階層構造によってデータを記述し、さらに属性を用いることでその階層構造を超えて色々な情報の構造を記述できるようにしているデータ形式です。そしてデータの形式を自動的にチェックする仕組みをはじめとするXML用に提供されるツールを利用することでその真価を発揮できるものです。したがって、その構造を踏まえて格納された情報を取り出そうとすると、grepの行単位検索機能では難しいことになってしまうのです。これについて以下の例で検討してみましょう。

```
<head>Bankend,</head><head2><i>Bankside, South-
    ward</i> (<b>S.E.</b>)</head2><map>MAP N10.</map>
```

（XMLフォルダ中のBankend.xmlより）

改行が入る場合：この例では、<head2>～</head2>の間に改行が入っています。この場合、grepの行単位検索だけで<head2>の対象となるテキスト「<i>Bankside, South-ward</i> (<b>S.E.</b>)」を取り出して処理することはできないため、それをするなら他の何らかの手法を組み合わせる必要があります。

階層構造を対象とする場合：この例では、<b>や<i>が<head2>の下の階層に入っています。たとえば、<i>要素や<b>要素を含む<head2>要素の数を数えたいと思った場合も、grepの行単位検索ではうまく数えることは難しいです。このような場合には、XML向けに提供されているツールを利用することが、結果的に時間を節約しつつ正確なデータを得られることになります。

XMLの解析（パース）

XMLでは、こうした情報を、XML用のツール等を用いてXMLとして解析（パース）することで取り出しやすくできます。パースするには、XML

専用エディタやプログラミングがよく用いられますが、本書での例のような Linux 系のコマンドライン上で解析する場合には、XML 専用のコマンド xmlstarlet が開発・公開されています。ここでは、コマンドラインで処理するという本書の趣旨を活かし、この xmlstarlet の利用方法を簡潔に紹介します。

Xmlstarlet のインストール

Xmlstarlet 自体のインストールに入る前に、この種の環境におけるソフトウェア・コマンドのインストールに関して簡潔に説明しておきます。Linux 系のコマンドラインでは、未インストールのコマンドを簡単にインストールする方法が提供されているものが多く、また、Linux ではないですが遠縁である MacOS 環境のコマンドラインでも同様に簡単にインストール可能です。しかしながら、本書で利用してきた Git Bash ではその方法が利用できず、やや面倒なインストールが必要となります。ここでは本書の全体との整合性のために Git Bash でのインストールについて説明しますが、Windows の場合は後述する WSL を利用する方がより簡便にインストールができ、他のさまざまな利便性の高いコマンドも簡単にインストールできるようになるため、Windows におけるより発展的な利用に際しては WSL の利用をおすすめします。

というわけで、Xmlstarlet のインストールですが、まず、Windows 用のソフトウェアをダウンロードする必要があります。本書執筆時点での最新版は version 1.6.1 であり、以下の URL から xmlstarlet-1.6.1-win32.zip というファイルをダウンロードして、zip を展開してください。

https://sourceforge.net/projects/xmlstar/files/xmlstarlet/1.6.1/

そうすると、展開したフォルダの中に xml.exe という実行ファイルが存在するはずです。これを、C:\Program Files\Git\usr\bin というフォルダにコピーすると、Git Bash のコマンドラインで xml というコマンドが利用できるようになるはずです。これが、Xmlstarlet の機能を実行するコマンドです。ためしに、以下のコマンドを実行していただくと、コマンドの利用の仕方のガイドが表示されるはずです。

```
nagas@fv3 MINGW64 ~/Documents/02papers/20230731_ddh
$ xml
XMLStarlet Toolkit: Command line utilities for XML
Usage: C:\Program Files\Git\usr\bin\xml.exe [<options>] <command> [<cmd-options>
]
where <command> is one of:
  ed    (or edit)       - Edit/Update XML document(s)
  sel   (or select)     - Select data or query XML document(s) (XPATH, etc)
  tr    (or transform)  - Transform XML document(s) using XSLT
  val   (or validate)   - Validate XML document(s) (well-formed/DTD/XSD/RelaxNG)
  fo    (or format)     - Format XML document(s)
  el    (or elements)   - Display element structure of XML document
  c14n  (or canonic)    - XML canonicalization
  ls    (or list)       - List directory as XML
  esc   (or escape)     - Escape special XML characters
  unesc (or unescape)   - Unescape special XML characters
  pyx   (or xmln)       - Convert XML into PYX format (based on ESIS - ISO 8879)
  p2x   (or depyx)      - Convert PYX into XML
<options> are:
  -q or --quiet         - no error output
  --doc-namespace       - extract namespace bindings from input doc (default)
  --no-doc-namespace    - don't extract namespace bindings from input doc
  --version             - show version
  --help                - show help
Wherever file name mentioned in command help it is assumed
that URL can be used instead as well.

Type: C:\Program Files\Git\usr\bin\xml.exe <command> --help <ENTER> for command
help

XMLStarlet is a command line toolkit to query/edit/check/transform
XML documents (for more information see http://xmlstar.sourceforge.net/)

nagas@fv3 MINGW64 ~/Documents/02papers/20230731_ddh
$ |
```

パースによるXML検索の簡単な例

ここでは、xmlstarletを用いたXML検索の簡単な例をみてみましょう。第5章でも採りあげられたXMLフォルダの中にあるBalls-Pond-road.xmlを検索してみます。ファイルのタグの構造を見てみると、<street>タグが最上位にあって他のすべての要素を囲んでおり、その中で、<head>、<head2>、<map>、<addr>の要素が並立しており、<addr>はたくさん列記されています。さらに、各要素の中のごく一部のテキストに対して<i>が付与されています。パースによるXML検索の場合、この構造を前提としてタグを検索対象とすることになります。

それではまず、<head2>タグがつけられたテキストだけを検索してみましょう。xmlコマンドでは以下のようになります。（ただし、Git Bash以外のLinux環境を利用している人はxmlstarletコマンドに置き換えて「///head」を「//

head」としてください。)

```
$ xml sel -o -t  -v "///head"  Balls-Pond-road.xml
Ball's Pond road (N.),
```

ここでxmlコマンドに続く主なオプションとしては、まず、selによってXML文書からデータの取り出しをすることが宣言され、-tによって、次にデータ取り出しのためのテンプレートが来ることが示され、-vの後に続く"///head"にマッチした要素を表示する、ということになります。この-vに続いて記述されている文字列はXPath(XML Path Language)と呼ばれるXML文書の構造に基づいて任意のXML要素を指定する記述方法です。ここでは「対象となる文書の中のどこかにある<head>要素」を示しています。

あるいは、<i>タグがつけられた箇所だけを取り出す、ということもできます。その場合は以下のようなコマンドになります。

```
$ xml sel -o -t  -v "///i"  Balls-Pond-road.xml
Essex road, Islington, to Kingsland road
Ball's Pond Road Mission house
Duke of Wellington
Marquis of Salisbury
Greyhound tav
Mildmay tavern
Ball's Pond Branch Dispensary
Ball's Pond Brewery Co
```

ここでは、<head>要素を指定している箇所を<i>要素に置き換えるだけで実現できています。

ただし、ここではGit Bashの制約により、少し特殊な記法が必要となっていることに留意してください。通常、XPathにおいてこれらを表現するためには「"//head"」「"//i"」のようにスラッシュは2つでよいはずです。しかし、Git Bashでは、独特の制約により、通常よりも一つ余計にスラッシュを入れないとうまく動作しないようです。この点にさえ注意していただけば、あとは通常のXPathのガイドをそのまま利用できるようです。XPathはWorld Wide Web Consortium(W3C)が定める汎用的な言語構文であり、XML要素や属性を対象とした多様な表現が可能です。XMLのさまざまな処理系で利用でき、紹介している本やウェブサイトも多くありますので、学習をお勧めします。

なお、教材として提供されているXMLファイル群は、XMLとしての構造が誤っている箇所が含まれており、それらをまとめたファイルall-b-streets.xmlもまた、そのままではXMLとして処理できません。そこで、XMLとして処理できるように構造の修正だけを行ったファイルをご用意しました。以下のURLからダウンロードしていただくと、XMLとして処理可能なファイルが入手できます。

https://github.com/knagasaki/digital-history/blob/master/data/all-b-streets.xml

https://raw.githubusercontent.com/knagasaki/digital-history/master/data/all-b-streets.xml（直接ダウンロードする場合はこちら）

このファイルを用いて以下のようなコマンドを実行すると、すべての<head>のテキストを表示できます。テキストが表示されれば、あとはここまでで学んださまざまなコマンドを組み合わせることで多彩な活用が可能になるはずです。

```
$ xml sel -o -t  -v "///head"  all-b-streets.xml
Baalzephon st.
Bacchus walk,
Baches st,
```

あるいは、XPathでは要素の総数を表示するコマンドも提供されており、以下のコマンドで<addr>の数を確認できます。

```
$ xml sel -o -t  -v "count(///addr)"  all-b-streets.xml
14045
```

このようにして、XMLファイルをXmlstarletでコマンドライン処理する場合、XPathを活用することで、さまざまな処理が可能になります。

Windows でのコマンドラインの色々

Git Bash for Windows 以外にも、Windows11 では標準で WSL(windows subsystem for Linux) というコマンドラインの利用を容易にする仕組みが提供されています。これは Microsoft 自身が開発に取り組んでいるもので、Linux の標準的利用方法にかなり準拠しており、ウェブで紹介されている色々なコマンドライン向けチュートリアルにも沿っていることから、コマンドラインの活用を深めていく際にはおすすめです。特に、Windows でコマンドラインを本格的に利用していこうという場合には導入を検討してみてください。

なお、この場合は、Xmlstarlet のインストールは以下のコマンドのみで済みます。

```
$ sudo apt install xmlstarlet
```

そして、Xmlstarlet を利用する際には、たとえば以下のようになります。

```
$ xmlstarlet sel -o -t  -v "//head"  all-b-streets.xml
$ xmlstarlet sel -o -t  -v "count(//addr)"  all-b-streets.xml
```

【プログラミング編】

担当：小風 尚樹

本書は、コマンドラインでの利用を推奨するものですが、一方で、XML の場合にはプログラミングを行うことによって飛躍的に利用可能性を高めることが可能です。よく用いられる言語としては、XSLT や Python 等があります。最近は、Google が提供する Python プログラミング環境である Google Colaboratory を用いると無料で簡単にプログラミングを試すことができ、途中経過や成果の共有なども容易なので、これを用いてチュートリアルの XML ファイルを対象とした簡単なプログラミングの方法をみてみましょう。

元データの確認

まずは、必要なモジュールをインポートし、チュートリアルで紹介されている XML ファイルを構文解析してみましょう。なお、lxml の HTML パーサーを用いて構文解析した結果、HTML ファイルのタグが追加されています。なお、Python の標準モジュールには ElementTree という XML を扱うものがありますが、これを用いない理由は、チュートリアルで紹介されているファイル all-b-streets.xml が、正しい形式の XML 文書ではないためです。BeautifulSoup モジュールであれば、HTML 文書としてパースできる（というより、強引にできてしまう）ため、今回は BeautifulSoup を用いてみます。なお、以下で用いる Python のコードの大半はごく初歩的なもの（for ループ、if 文、リスト、辞書の扱い）であり、たとえば *The Programming Historian*[i] で紹介されているいくつかの Python レッスンを理解できる歴史研究者なら問題なく活用可能でしょう。

```
In [1]: import re
        import requests
        from bs4 import BeautifulSoup as BS

In [2]: # チュートリアルで紹介されているall-b-streets.xmlの生ファイルにアクセスして構文を解析する
        response = requests.get("https://raw.githubusercontent.com/ihr-digital/digital-history/master/data/XML/all-b-streets.xml")
        soup = BS(response.content, 'lxml')
        soup

Out[2]: <?xml version="1.0" encoding="utf-8" standalone="no"?><html><body><list>
        <street>
        Baalzephon st.<head2><i>Bermndsy</i>. (<b>S.E.</b>) <i>now numbered in Weston street</i>.</head2>
        </street>
        <street>
        Bacchus walk,<head2><i>Hoxton</i> (<b>N.</b>), <i>from</i> 179 <i>Hoxton street to St. John's road</i>.</head2>
        <map>MAP 06.</map>
        <addr>18 Snell Mrs. Sophia, chndlr's. shop</addr>
        <addr>19 Bull Henry, painter &amp;c</addr>
        <addr>35 Parham William, wine cooper</addr>
        <addr> 40 Gudge Adolphus, cabinet maker</addr>
        </street>
        <street>
        Baches st.<head2><i>Brunswick pl. City road</i>. (<b>N.</b>)</head2><map>MAP 07.</map>
        <addr>4 Russell James, decorative carver</addr>
        <addr>10 Ghurney Richd. french polisher</addr>
        <addr>14 Mackey Thos. Birch, bookbinder</addr>
        <xst>here is Great Chart street</xst>
        <addr>9 Walker Edwd. boot &amp; shoe makr</addr>
```

図１　必要なモジュールのインポートと XML 文書の構文解析

XML 文書のおおまかな構造を確認しておくと、<list> タグの子要素に複数

i　https://programminghistorian.org/

の <street> タグが内包されており、さらにその下位に <addr> タグが子要素として内包されています。この <addr> タグに含まれている文字列が氏名・住所・職業の情報というわけです。職業の情報が含まれていないものもあります。

正規表現を用いたデータセット中の男女比の算出

<addr> タグ内に Mrs あるいは Miss を含む場合、女性の住所・職業が記されていることから、この史料における男女比を算出することができます。チュートリアルでは、コマンドライン上で、以下のコマンドを入力するように指示しています。

```
grep "<addr>" all-b-streets.xml | grep -Ec "\bMrs\b|\
bMiss\b"
```

これにより、"<addr>" という文字列を含む行を抽出し、さらにその該当行の中から、"Mrs" もしくは "Miss" という単語を含む行だけを抽出することができます。\b で単語が囲まれているのは、まさにその単語が含まれているものだけをヒットさせたいからです。具体的には、"Miss" はヒットさせたいが、"Mission" はヒットさせたくない場合、\bMiss\b とすればよいということになります。ヒット数は 14,021 件とあります。

さて、このコマンドの問題点は、次のように複数行にわたる <addr> タグに対応できないことです。このような <addr> タグはチュートリアルファイルにいくつも散見され、複数人の氏名・情報が格納されているようです。

```
<addr>2 Kingdon John Abernethy, surgn
Beer Julius, merchant</addr>
```

マークアップ 1　複数行にわたる <addr> タグの例

このように複数行にわたる <addr> タグの各行を分解し、ひとりひとりの情報を網羅するのであれば、たとえば次のような Python コードを書けばよいでしょう。

```
In [9]: addrs = soup.select("addr")
        len(addrs)

Out[9]: 14034

In [8]: addrs_compiled = []
        for addr in addrs:
            addrs_compiled += addr.text.splitlines()

        len(addrs_compiled)

Out[8]: 14507
```

図２　<addr> タグに内包されるすべての人物の情報をリスト化するコード

まず、<addr> タグ自体は全部で 14,034 件あり、その中で複数行にわたる <addr> タグの各行を分解して新しいリストに格納すると、全部で 14,507 件となりました。つまり、チュートリアルの grep コマンドでは約 500 件の抜け落ちがあるということになるため、XML 文書はやはり構文解析をする必要があることがわかります。

閑話休題。この 14,507 件のデータセット中の男女比を算出しましょう。チュートリアルの正規表現はそのまま Python でも使えるので、次のようなコードが書けます。

```
In [12]: female_titles = re.compile(r"¥bMrs¥b|¥bMiss¥b")
         male_addrs = []
         female_addrs = []

         for addr in addrs_compiled:
             if re.search(female_titles, addr):
                 female_addrs.append(addr)
             else:
                 male_addrs.append(addr)

         print(f"男性のデータ数: {len(male_addrs)}、女性のデータ数: {len(female_addrs)}、男女比は{format(len(male_addrs)/len(female_addrs), '.1f')}:1")

         男性のデータ数: 13042、女性のデータ数: 1465、男女比は8.9:1
```

図３　正規表現を用いたデータセット中の男女比の算出

人物情報の文字列の中に "Mrs" もしくは "Miss" を含むものは女性の情報、そうでないものは男性の情報ということなので、それぞれの条件に合致する行を female_addrs および male_addrs という変数名のリストに格納することとしました。なお、male_addrs に誤って含まれているものがいくつか存在しますが、今回はそこまで厳密さを期しません。男性のデータは 13042 件、女性のデータが 1465 件、男女比はおよそ 8.9:1 となりました。

女性の職業一覧を多い順に並べ替える

最後に、<addr> タグ内に “Mrs” あるいは “Miss” を含み、かつカンマで情報が区切られていると、末尾には女性の職業が記されているというテキストの性質を利用し、女性の職業の一覧を多い順に並べるという作業課題に取り組みます。チュートリアルでは、下記のコマンドが紹介されています。

```
grep “<addr>” all-b-streets.xml | grep -Ec “\bMrs\b|\
bMiss\b” |
grep -Eo “,[^,]+</addr>” | sort | uniq -c | sort -n
```

grep コマンドの問題点はすでに述べたので改めて指摘することはしませんが、実はカンマ以外にもピリオドの後に職業が記されていることもあるので、正規表現を修正する必要があります。たしかに、ピリオドの後には職業以外の情報が記されている場合もありますが、今回はそれよりも職業の抜け落ちがないことを優先しました。

```
In [13]: profession = re.compile(r"[.,]([^.,]+$)")
         profession_list = []

         for addr in female_addrs:
             match = re.search(profession, addr)
             if match:
                 profession_list.append(match.group(1).strip())

         from collections import Counter
         from collections import OrderedDict
         profession_count = Counter(profession_list)
         female_profession_ranking = OrderedDict(sorted(profession_count.items(), key=lambda x:x[1], reverse=True))
         female_profession_ranking

Out[13]: OrderedDict([('milliner', 36),
                      ('lodging ho', 36),
                      ('dressmaker', 26),
                      ('grocer', 18),
                      ('coffee rooms', 14),
                      ('lodging house', 14),
                      ("chandler's shop", 12),
                      ('school', 11),
                      ('baker', 11),
                      ('tobacconist', 11),
                      ('matron', 10),
                      ('confectioner', 9),
                      ('dairy', 8),
                      ('butcher', 8),
                      ("chandler's shp", 7),
                      ('sec', 7),
```

図４　女性の職業一覧を多い順に並べるコード

ここで用いた正規表現により、「カンマかピリオドの後、カンマかピリオド以外の文字列が行末まで続く」というパターンを検索しています。肝心の職業情報はそのうち「カンマかピリオド以外の文字列が行末まで続く」部分であるため、その部分を抽出できるようにして、前後の不要なスペースなどを削除し、

profession_list という変数名のリストに格納しています。あとは、そのリストの中で重複する職業があればそれが何回重複しているのかをカウントし、降順に並べ替えるだけで済みます。Counter や OrderedDict モジュールを用いました。

ちなみに、すでに先ほど男性のデータも取得しているわけですから、上記のコードを再利用するだけで、男性の職業一覧を多い順に並べることもできます。

```
In [14]: profession = re.compile(r"[,.]([^,.]+$)")
         male_profession_list = []

         for addr in male_addrs:
             match = re.search(profession, addr)
             if match:
                 male_profession_list.append(match.group(1).strip())

         from collections import Counter
         from collections import OrderedDict
         profession_count = Counter(male_profession_list)
         male_profession_ranking = OrderedDict(sorted(profession_count.items(), key=lambda x:x[1], reverse=True))
         male_profession_ranking

Out[14]: OrderedDict([('baker', 196),
                      ('solicitor', 196),
                      ('tailor', 163),
                      ('grocer', 162),
                      ('sec', 147),
                      ("chandler's shop", 139),
                      ('greengrocer', 134),
                      ('beer retailer', 130),
                      ('bootmaker', 130),
                      ('coffee rooms', 119),
                      ('butcher', 117),
                      ('surgeon', 112),
                      ('tobacconist', 112),
                      ('solicitors', 94),
                      ('hairdresser', 86),
                      ('architect', 80),
```

図 5　男性の職業一覧を多い順に並べるコード

おわりに

ここでは、第 5 章で紹介されている、grep コマンドを用いた XML 文書からの情報抽出チュートリアルの技術的問題を指摘し、代替策として Python によるアプローチを紹介しました。たしかに、grep コマンドに比べると多くのコードを書く必要があることは否めません。しかし、XML のタグが複数行にわたることなどごくごく自然なことですから、grep コマンドによる情報抽出には無理があることは確かです。XML は情報をより確かに残し伝えるために広く用いられているものですので、その機能をうまく活用していくことも検討してみるとよいでしょう。

索引

※原著で立項されている形で索引を立項し、参照先のページも基本的に原著に従った。

ま

ら

アルファベット

記号

■ 著者

ジョナサン・ブレイニー　Jonathan Blaney
元 ロンドン大学歴史学研究所 デジタルプロジェクト長（2021 年まで）
現 ケンブリッジ大学デジタルヒューマニティーズ・リサーチソフトウェアエンジニア

ジェーン・ウィンターズ　Jane Winters
ロンドン大学高等研究院（School of Advanced Study）デジタルヒューマニティーズ教授

サラ・ミリガン　Sarah Milligan
カナダ・ヴィクトリア在住の独立系研究者

マーティ・スティア　Marty Steer
ロンドン大学高等研究院（School of Advanced Study）デジタルヒューマニティーズ技術リーダー

■ 訳者

大沼 太兵衛　Tahee Onuma
国立国会図書館司書。専門は図書館情報学、アーカイブズ学。訳書に『アーカイヴズ』（白水社、2021年）がある。

菊池 信彦　Nobuhiko Kikuchi
国文学研究資料館特任准教授。専門は西洋近現代史、デジタルヒストリー。主要業績に『19世紀スペインにおける連邦主義と歴史認識』（関西大学出版部、2022年）などがある。

[補論執筆者]
小風 尚樹　Naoki Kokaze　千葉大学人文社会科学系教育研究機構助教
永崎 研宣　Kiyonori Nagasaki　一般財団法人人文情報学研究所人文情報学研究部門主席研究員

デジタルヒストリーを実践する
—データとしてのテキストを扱うためのビギナーズガイド—

2023（令和 5）年 10 月 13 日　初版第一刷発行

ISBN978-4-86766-022-5 C0020

発行所　株式会社 文学通信
〒 114-0001　東京都北区東十条 1-18-1 東十条ビル 1-101
電話 03-5939-9027　Fax 03-5939-9094
メール info@bungaku-report.com
ウェブ https://bungaku-report.com

発行人　岡田圭介
印刷・製本　モリモト印刷

ご意見・ご感想はこちらからも送れます。上記のQRコードを読み取ってください。

※乱丁・落丁本はお取り替えいたしますので、ご一報ください。書影は自由にお使いください。